el genoma humano

guía básica sobre las conquistas de la genética

JEREMY CHERFAS

Planeta

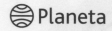 Planeta

Título original: *Essential Science: The Human Genome*
Copyright © 2002 Dorling Kindersley Limited,
A Penguin Company, London
Text copyright © 2002 Jeremy Cherfas
Primera edición en Gran Bretaña en 2002 por
Dorling Kindersley Limited
ISBN: 0-7513-3427-8

Primera edición en español: 2002
Traducción: Cecilia Yañez
Derechos exclusivos de edición en español para
México, Centroamérica, Estados Unidos y Puerto
Rico, de acuerdo con Dorling Kindersley Ltd.

© 2002, Editorial Planeta Mexicana, S.A. de C.V.
Avenida Insurgentes Sur núm. 1898, piso 11
Colonia Florida, 03100 México, D.F.
en coedición con Dorling Kindersley Ltd.,
80 Strand, London WC2R 0RL

Primera edición (México): 2002
ISBN: 970-690-599-5

DORLING KINDERSLEY
Editor de la serie   Peter Frances
Editor de àrte   Vanessa Hamilton
Diseñador DTP   Rajen Shah
Iconografía   Sarah Duncan
Ilustrador   Richard Tibbitts
Editor temático   Jonathan Metcalf
Producción artística   Phil Ormerod

Impreso en Graphicom, Italia

contenido

antes del genoma

El 26 de junio de 2000, dos equipos que trataban de hacer una secuencia del genoma humano, anunciaron juntos en la Casa Blanca en Washington D.C. que ya tenían el primer borrador. En su declaración enfatizaron que nuestra comprensión en cuanto a la reproducción de los seres vivos y su evolución ha avanzado mucho en muy poco tiempo. Hasta que Charles Darwin en 1859 escribió *El origen de las especies*, no teníamos idea de lo que era la selección natural. En 1953, James Watson y Francis Crick publicaron la estructura de doble hélice del ADN. Para 1977 ya se había leído el mensaje genético completo de un organismo, que en éste caso fue un virus. Consistía en 5,386 letras de código genético. El primer borrador del genoma humano se publicó en febrero de 2001 y mide como tres billones de letras de longitud. Este libro es sobre el Proyecto del genoma humano y lo que este revela sobre nosotros. La historia empieza con los descubrimientos que hicieron posible éste magnífico proyecto científico.

" Quisiéramos sugerir una estructura para las sales del ácido desoxiribonucleico (ADN). Esta estructura tiene características novedosas que son de interés biológico "
James Watson y Francis Crick, 1953

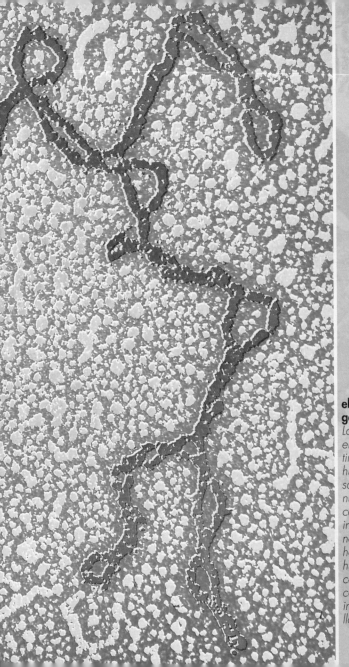

el mensajero genético

La extensión roja en la foto es una tira del ADN humano. Ahora sabemos que nuestro ADN contiene las instrucciones necesarias para hacer un ser humano: el conjunto completo de instrucciones llamado genoma.

herencia
y genética

La ciencia ha hecho un esfuerzo enorme para explicar algo que la gente entiende en un nivel muy básico: cada niño o niña es como sus padres. No son idénticos pero sí lo suficientemente similares como para permitirnos hablar del parecido familiar, el cual es hereditario. Todos los seres vivos tienen descendencia que es como ellos. Esto nos permite ponerle nombres a las cosas. Los biólogos llaman "especie" a todos los seres o individuos que son parecidos entre sí, pero que se distinguen de otra especie diferente. La genética nos explica la manera en que la información necesaria para construir un cuerpo pasa de una generación a otra. También responde a cuestiones sobre el origen de las especies y su evolución.

En la mayor parte de la historia occidental estas preguntas no se hacían, la ortodoxia religiosa decía que cada especie era nombrada por Dios y que no cambiaba. Una doctrina relacionada, llamada "transformismo" permitía a las especies cambiar, pero a cada una le dio una creación separada. Finalmente, surgió la teoría de la evolución, la cual dice que todas las especies vivas pueden rastrear a sus ancestros en un único origen de la vida. La evolución es completamente cierta, lo complicado ha sido entender cómo se ha dado.

Realmente hay dos preguntas a responder. ¿Por

orden por diseño divino
La mayoría de las religiones ofrecen un recuento de la manera en que el universo fue creado. La pintura de William Blake, llamada The ancient of days encapsula la creencia cristiana de que el orden y la regularidad que se observan en el mundo natural, incluyendo a los seres vivos, son el resultado de la creación divina.

qué la descendencia es como sus padres? Este es el enigma de la herencia, el cual nos permite diferenciar entre un perro y un árbol. Luego tenemos la pregunta sobre la manera en que un organismo cambia a otro. Este es el enigma de la evolución. La herencia y la evolución están vinculadas por el hecho de que la

descendencia no es idéntica a sus padres, lo que significa que al paso de varias generaciones aquéllas pueden volverse diferentes.

Las dos preguntas vinculadas han sido respondidas de dos maneras, que pueden ser caricaturizadas en la lógica y la experimental, genética y bioquímica. Es importante reconocer que los dos cabos de la pregunta estaban relacionados y se llevaron a cabo al mismo tiempo; es más fácil entenderlas si las separamos, de ésta forma empezaremos con la genética.

ideas sobre la herencia

La ciencia moderna no inventó la genética, aunque sí le dio a la materia su nombre, en 1909. En los tiempos bíblicos, la gente se preguntaba que era lo que determinaba las características de cada generación y de cada raza. Jacob, el hermano de Isaías, peló finas ramas para que quedaran rayadas a lo largo y luego las puso en el abrevadero donde bebían los animales de Laban. El ganado tuvo crías con manchas, motas y rayas y Laban estuvo de acuerdo con que Jacob se los quedara. Los animales pueden cambiar de una generación a otra.

Algo diferente es la idea que sugiere que en la herencia se adquieren características, a esta se le llama la

variaciones entre especies
Las diferentes especies de robles producen bellotas que son similares, pero tienen diferencias visibles. La evolución nos ayuda a explicar este tipo de relación entre las especies.

una historia alta
Jean Baptiste de Lamarck escribió en 1809 que los esfuerzos hechos por los animales, como por ejemplo, la jirafa, para adaptarse a su entorno, producían cambios en su cuerpo que transmite a su descendencia.

herencia de Lamarck en honor al francés Jean Baptiste de Lamarck. Él pensaba que las cosas que un animal hiciera durante su vida se reflejarían en su descendencia. De ésta manera si un animal se estiraba para alcanzar hojas en la parte alta de un árbol tendría descendencia con cuellos un poco más largos. Si estos a su vez tuvieran que estirarse más tendrían descendencia con cuellos todavía más largos y así al final tendríamos una jirafa moderna. Según él, el ancestro verdadero de la jirafa había sido creado de manera separada por Dios, pero se había transformado debido a los esfuerzos hechos por cada generación.

la herencia de lamarck
La falsedad de las ideas de Lamarck sobre la herencia puede probarse fácilmente. Si la herencia funcionara como él sugirió, un perro cuya cola hubiera sido cortada por su dueño, eventualmente tendría perros con la cola corta.

la selección natural

Lo genial de Charles Darwin fue idear el sistema que conocemos como selección natural. La selección natural les permitió a las especies cambiar y originar nuevas especies. Él usó tres ideas para derivarla.

En primer lugar, todos los seres vivos pueden tener más descendencia de la que realmente tienen. Para ilustrar esto Darwin escogió al animal que tarda más en procrear que es el elefante, asumió que empieza a reproducirse a los 30 años y termina a los 90 y tiene 6 crías en esos 60 años. "Me ha costado trabajo estimar el índice mínimo probable de incremento natural", escribió Darwin. "Después de un periodo entre 740 y 750 años habría casi 19 millones de elefantes vivos que son descendencia del primer par".

En segundo lugar, los elefantes se enfrentan a presiones de tipo ambiental, como es el limitado suministro de recursos. Los árboles y el pasto que comen no pueden multiplicarse tan rápido como los elefantes. Por lo tanto en cada generación algunos elefantes mueren de inanición.

Finalmente, en cada generación, la descendencia es un poco diferente. Como están compitiendo por obtener recursos, algunos lo hacen mejor que otros. Van a aumentar en número, mientras los que no lo hacen tan bien, disminuirán.

Eso es todo lo que hay que explicar sobre la selección natural: es el resultado inevitable de la competencia entre organismos; cada uno es un poco diferente y va heredando

ser diferente
Un ejemplo de la variación entre los individuos de una misma especie puede verse en el color, el patrón y el grosor de las bandas de las conchas de estos caracoles. Las diferencias pequeñas como éstas son cruciales en la evolución por selección natural porque algunas de ellas les dan a los individuos una ventaja competitiva y les permiten mejorar sus oportunidades de supervivencia.

esto. La explicación de Darwin es muy simple y atractiva, pero hay algo que falta. ¿Qué es lo que le permite a la descendencia parecerse a sus padres y al mismo tiempo ser diferentes? ¿Qué es lo que porta la información y cómo se acumulan los cambios que deben existir para que una especie evolucione en otra?

el problema de darwin

Darwin no quedó satisfecho con el proceso que propuso para la evolución. Se dio cuenta de que no era suficiente apoyarse en la lógica y en la evidencia de lo que sus ojos veían. Necesitaba un mecanismo, algo que pudiera transmitir la información sobre una especie y al mismo tiempo estar abierta al cambio. La solución de Darwin fue algo que él llamó la "hipótesis provisional de la pangénesis". En contraste con la simpleza de la evolución por selección natural, esto es un conjunto complicado de ideas. Los eruditos se han esforzado para tratar de entender la "hipótesis provisional", pero la conclusión es que es un callejón sin salida. Sin embargo, en uno de los momentos de la ciencia del "pudiera ser", la respuesta estaba literalmente en su escritorio. Gregorio Mendel quien ha sido descrito como un "monje austriaco oscuro", le envió a Darwin una copia de su documento publicado en 1866. Éste no lo leyó y más tarde fue lo que le dio el mecanismo que tanto buscó. La mayoría de los biólogos prominentes de la época tuvieron acceso a ese documento y ninguno entendió su importancia.

el descubrimiento de mendel

Gregorio Mendel fue un científico dotado que quiso descubrir cómo surgían las especies nuevas. Muchos botánicos de la época pensaban que la descendencia de dos especies existentes podía dar lugar a una nueva especie. Mendel atacó éste problema con un chícharo de jardín. Estudió diferentes variedades de chícharos que se diferenciaban en una sola y visible característica. Algunas plantas eran altas y otras chaparras, algunas tenían flores blancas y otra moradas. En total Mendel trabajó con siete pares de rasgos. Escogió el chícharo debido a que normalmente se fertiliza solo. Así Mendel podía hacer híbridos entre dos variedades sabiendo que esto no pasaba generalmente en la naturaleza. Aparte de haber escogido esta materia, Mendel se diferenciaba de sus colegas porque se enfocaba en un rasgo a la vez, en lugar de revisar de manera general al híbrido, y también se diferenciaba en la manera meticulosa en que contaba los resultados de sus experimentos.

El ejemplo del libro es la diferencia entre un chícharo redondo y otro arrugado (*ver recuadro p. 11*). Mendel encontró que uno de los dos tipos, en éste caso el arrugado, se saltó una generación y luego apareció como un cuarto de la descendencia en la segunda generación. Encontró el mismo patrón en cada uno de los siete rasgos que estudió. Otros observaban resultados similares. Darwin cruzó unos redondos con otros de forma asimétrica. Encontró una proporción en la segunda generación que era un poco más baja que la de Mendel. El verdadero avance que Mendel logró fue el darse cuenta que la

gregorio mendel
Fue un monje, que al igual que muchos de la época, era científico. Se llamaba Johann Mendel pero cambió su nombre al entrar al monasterio en Brno, al norte de Viena, en lo que ahora es la República Checa.

cómo se heredan las características

En uno de sus experimentos, Mendel quería entender la manera en que la forma de los chícharos se heredaba. Estos tienen dos formas, son redondos o arrugados. Mendel decía que había dos factores para características tan distintivas como éstas. Las llamamos "R" para las redondas y "r" para las arrugadas. Cada planta tiene dos copias de los factores, que ahora llamamos alelos. Cuando Mendel

cruzó dos plantas de chícharos y le permitió a la descendencia fertilizarse sola, encontró que todos los chícharos de la primera generación (f1) eran redondos, pero que los chícharos arrugados aparecieron en la segunda generación (f2). Cuando Mendel contó las semillas en ésta generación, encontró que la proporción de chícharos redondos con los arrugados era de 2.96:1.

las plantas progenitoras

Mendel cruzó dos plantas, una variedad que siempre producía semillas redondas (RR) y otra que siempre producía semillas arrugadas (rr).

chícharo redondo
chícharo arrugado

RR X rr

primera generación (f1)

En la primera generación, todas las plantas produjeron semillas redondas. A las semillas de ésta generación se les permitió polinizarse solas.

f1

Rr   Rr   Rr   Rr

todas las plantas en F2 son una cruza entre Rr y Rr

segunda generación (f2)

En la siguiente generación algunos chícharos volvieron a salir arrugados. Parecía que el factor arrugado había estado latente durante una generación, pero sólo para resurgir en la siguiente.

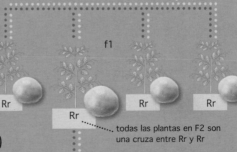

las plantas con rr tienen semillas arrugadas

f2

RR   Rr   rR   rr
redonda   redonda   redonda   arrugada

proporción constante de 3:1 ameritaba una explicación. Y la encontró. El punto de vista moderno de su teoría se basa en vanas ilusiones, pero éste no es el lugar ni el momento para preguntarnos lo que Mendel dijo exactamente.

Lo que la gente cree que Mendel dijo es que uno de los factores domina sobre el otro. A éste factor se le nombró el alelo dominante (R). En el caso de los chícharos redondos y arrugados, si los dos alelos son R, los chícharos son redondos. Si los dos son r, los chícharos son arrugados. Pero si uno es R y el otro r, los chícharos son redondos porque R domina sobre r.

Los resultados de Mendel lo animaron a formular tres leyes de la herencia (*ver recuadro abajo*). Como la mayoría de las leyes, las de Mendel también tienen excepciones. Hay quien argumenta que esto nos demuestra que fue más que pura buena suerte lo que guió los experimentos de Mendel conforme los iba reportando. Quizá dejó de contar cuando los resultados cuadraban con las hipótesis o quizá no incluyó los resultados que no cuadraban con sus ideas. Francamente ¿a quién le importa? Las excepciones, que aparentemente no le preocupaban a Mendel, probaron ser extremadamente útiles cuando el campo que él inventó maduró mucho tiempo después de su muerte.

las leyes de la herencia de mendel

Ley de la uniformidad
Cuando se cruzan dos plantas que difieren entre sí en una característica particular, la descendencia es uniforme y se parece a uno de los padres.

Ley de la segregación de los alelos
Los alelos en los padres se separan y luego se vuelven a combinar en la descendencia. Esto explica por qué la expresión de una característica en particular en un organismo no se parece a la mezcla de sus padres, pero sí se parece a uno de ellos o al otro.

Ley del surtido independiente de alelos
Los alelos de características diferentes pasan a la descendencia independientemente, por ejemplo los chícharos verdes no dicen nada sobre si serán arrugados o lisos.

redescubriendo a mendel

Las proporciones de Mendel y las leyes que formuló
para explicar la herencia, eran lo que Darwin necesitaba para
explicar la manera en que la información genética se transmite.
Había factores que no se mezclaban ni se diluían por la
procreación pero que
pasaban sin cambios
de una generación a
otra. Puede ser que la
selección natural actúa
sobre características
menos obvias que las
que Mendel estudió,
pero por lo menos
su trabajo señaló el
camino a seguir. Por
razones que nadie
puede entender, toda
la gente de su época ignoró su trabajo.
Ni siquiera se tomaron la molestia de
probar que lo que él estaba diciendo
estaba equivocado.

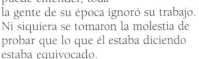

**cambio por
mutación**
*Hugo de
Vries estudió
la evolución
haciendo
cruzas
entre las
variedades
de flores de
colores en
un jardín.
Entre la
descendencia
que cultivó,
algunas eran
notablemente
diferentes de
sus padres. De
Vries usó el
término "mutación"
para describir
estos cambios
repentinos y en
el curso de sus
experimentos
diseñó las mismas
tres leyes de
Mendel.*

Se le reivindicó 15 años después de su muerte.
Tres hombres hicieron experimentos similares al mismo
tiempo y al hacerlo leyeron y finalmente entendieron el
trabajo original de Mendel. Ellos eran el botánico alemán
Hugo de Vries, el austriaco Erich Tschemak von Seysenegg
y el alemán Carl Correns.

Estos tres, no sólo descubrieron a Mendel cada uno por
su lado y replicaron muchos de sus resultados de forma
independiente, sino que también publicaron en el mismo
año, 1900. Los biólogos deben estar muy agradecidos por
lo que hicieron, sin embargo, un botánico inglés llamado
William Bateson desarrolló a partir de Mendel la ciencia a
la cual llamó "genética".

Bateson era un profesor de Cambridge y también miembro
del comité científico de la Real sociedad de horticultura.
Descubrió el redescubrimiento de Mendel unos días antes
de dictar una conferencia a la Sociedad. Al darse cuenta de
la importancia de Mendel cambió el tema de su plática y
prefirió presentar los trabajos del científico.

¿qué son los genes?

organismo

tejido

de organismo a cromosoma

Muchos seres vivos se organizan en diferentes niveles. El componente estructural básico (y la unidad más pequeña en la cual la vida puede existir) es la célula. Células similares a veces se organizan en tejidos. En las células de todos los organismos excepto en las bacterias, hay un núcleo central rodeado de fluido llamado citoplasma. Entre otras cosas, el núcleo es hogar de los cromosomas.

célula

núcleo

cromosoma

Mendel y sus seguidores se fijaron en las características externas de las plantas que estudiaron y usaron sus observaciones para construir explicaciones lógicas de lo que podría estar sucediendo dentro de ellas. Era claro que había discretas partículas de material hereditario que existían y se comportaban de acuerdo con las leyes de Mendel. En 1909, el botánico danés Wilhelm Johannsen, usó la palabra "gen" para referirse a esas partículas. Pero, ¿qué forma física tenían los genes?

Algunas claves importantes para resolver esto se encontraron en otro campo de la biología. Usando microscopios mejorados gracias a una ingeniería más exacta, los biólogos empezaron a observar células vivientes. La industria química les proporcionó tintes que manchaban partes de la célula de color más brillante que otras y algunos de estos tintes eran muy útiles porque no mataban a la célula. Wilhelm von Waldeyer, un anatomista alemán, descubrió en 1888 que la parte central de la célula, es decir, el núcleo, a veces tenía cuerpos en forma de hilos que absorbían los tintes bastante bien. Los llamó cromosomas. Otros científicos estudiaron el comportamiento de estos hilos cuando las células se dividen en dos, proceso al cual se llamó mitosis (*ver p. 16*). Ellos veían que primero se dividían los cromosomas, y que cada célula nueva (conocida como célula hija) heredaba un conjunto completo de cromosomas.

Durante la década de los 1880, Edouard van Beneden, biólogo belga, y Theodor Boveri, zoólogo alemán, empezaron a fijarse en las células sexuales, mejor conocidas como gametos. En todos los animales, incluyendo a los humanos, los gametos son células óvulo y esperma, las cuales se fusionan juntas durante la fertilización. Boveri y van Beneden descubrieron un patrón diferente al visto en la mitosis. En éste proceso, conocido como meiosis (*ver p. 16*), las células se dividen en dos etapas, eventualmente produciendo células hijas, o gametos, y cada una contiene la mitad del número de cromosomas encontrados en las células originales.

Carl Correns encontró la conexión entre la división de cromosomas conforme se formaban los gametos y la segregación de la segunda ley de Mendel. Los cromosomas se comportaban en un nivel, como si pudieran pasar la información genética conforme las células se dividían. Sin embargo, los cromosomas resultaron ser una mezcla compleja de diferentes tipos de químicos, cualquiera de los cuales podía ser la molécula hereditaria que actualmente conocemos como ADN. La siguiente parte de la historia le corresponde a los bioquímicos.

cromosomas
En el núcleo de una célula corporal, los cromosomas se organizan en pares. Uno de cada par viene de la madre, y el otro del padre. La mayoría de las células humanas contienen 46 cromosomas en 23 pares (mostrados aquí). Las excepciones son las células óvulo y as células espermatozoides (con 23 cromosomas simples) y los glóbulos rojos (las cuales no tienen ninguno).

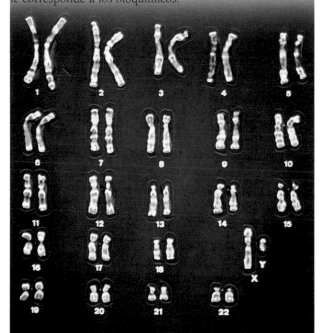

mitosis y meiosis

Las células se dividen y multiplican durante el crecimiento y también para reemplazar células viejas. Al dividirse, el material genético de la célula se copia por medio de mitosis. El óvulo y las células del esperma provienen de la meiosis, en la que cada célula nueva tiene sólo la mitad del material genético de la original.

mitosis

En la mitosis, una célula se divide para producir dos nuevas células que son idénticas a la original. Para simplificar, aquí sólo se muestran 4 cromosomas.

Antes de la división, los cromosomas se duplican para formar dobles, en forma de "x".

La membrana alrededor del núcleo se rompe y los cromosomas se alinean en hilos a lo ancho de la célula.

Los cromosomas duplicados se separan y son jalados a los lados opuestos de la célula.

Cada conjunto de cromosomas es cubierto por una nueva membrana y la célula se empieza a dividir en dos.

Se forman dos nuevas células, cada una con un conjunto completo de cromosomas idénticos.

meiosis

La división en dos del material genético durante la meiosis asegura que un conjunto completo de cromosomas resulte al fusionarse las células del óvulo y del esperma. Como resultado de la recombinación, el material genético de cada nueva célula es único.

Los cromosomas son copiados formando un conjunto de cromosomas dobles en forma de "x".

La membrana nucleica desaparece. Los cromosomas que tienen coincidencias entre sí, tienen contacto en zonas al azar y el material genético cruza de un lado al otro.

Se forman hilos en la célula y jalan los pares de cromosomas para separarlos. Luego estas se dividen.

Los cromosomas paternales (ahora con algo de material materno) van a una célula y viceversa.

Más hilos se sujetan a los cromosomas. Los cromosomas duplicados se separan y quedan como individuales.

Las dos células se dividen para producir cuatro a partir de la célula original, cada una con la mitad del material genético original.

las moléculas de la vida

Fue un joven doctor suizo llamado Johann Friedrich Miescher quien descubrió el ADN. A Miescher le interesaba la química del núcleo de la célula. Su mejor fuente de núcleos eran los glóbulos blancos, que tienen un núcleo grande y que obtenía de ropa de cirugía empapada en pus. En 1868, sus analistas descubrieron un nuevo compuesto que era ácido y rico en fósforo, hecho de moléculas muy grandes. Miescher lo llamó *nuclein*. Más tarde un alumno sugirió el nombre de ácido nucleico. En unos cuantos años lograron entender su química esencial.

ácidos nucleicos

La unidad básica del ácido nucleico era el azúcar. Cientos de estos azúcares se vinculaban de lado a lado por un grupo de fosfato (una molécula común hecha de un átomo de fósforo unido a cuatro átomos de oxígeno). El tercer componente era un tipo de compuesto llamado "base", que se sujeta al azúcar. Parecía que había cinco bases llamadas guanina, adenina, citosina, timina y uracilo (usualmente conocidas por las iniciales G, A, C, T y U). Una molécula de ácido nucleico está formada por subunidades, llamadas nucleótidos, cada una consiste de un azúcar, base y fosfato. Sin embargo, mientras el azúcar y los grupos de fosfato alternaban predeciblemente, parecía que no había ningún patrón para las bases.

En la década de los veinte se descubrió que había dos ácidos nucleicos diferentes. Uno era el ARN, que se encuentra en el citoplasma (el material que rodea el núcleo de la célula). Su azúcar es la ribosa y contiene bases C,G,A, y U; no T. El otro, encontrado dentro del núcleo era el ADN.

de qué están hechas las cosas
A principios de 1800, los químicos se dieron cuenta de que los seres vivos y los no vivos contienen los mismos tipos de átomos y siguen las mismas reglas de química. Hasta entonces, muchos pensaban que los seres vivos contenían una "fuerza vital" extra.

Su azúcar era la desoxirribosa y contenía C, G, A, y T, no U. Como los ácidos nucleicos eran tan simples, no parecía posible que pudieran ser las moléculas hereditarias.

Tenían suficientes pruebas de que las proteínas tenían una función importante en las células, regulando sus actividades, pasando mensajes y actuando como componentes estructurales. Las proteínas consisten de 20 diferentes subunidades, llamadas aminoácidos. ¿Cómo es posible que un ácido nucleico con cuatro tipos de unidades lleve la información necesaria para construir una proteína?

ácidos nucleicos = ADN en el núcleo y ARN en el citoplasma.

ARN = Azúcar ribosa, grupos de fosfato y bases C, G, A, y U.

ADN = azúcar desoxirribosa, grupos de fosfato y bases C, G, A, y T.

el principio de la transformación

Oswald Avery, un bacteriólogo canadiense, estuvo muy cerca de probar que el ADN es la molécula hereditaria. Su grupo trabajó con una bacteria llamada *Streptococus Pneumoniae*, que causa la enfermedad fatal del neumococo. Actualmente no todas las bacterias son virulentas. Algunas variantes no causan daño ni enfermedad. La diferencia es visible a simple vista. Al crecer en un plato de agar, el tipo que es virulento forma una colonia lisa, mientras que el tipo que no hace daño forma colonias arrugadas y de apariencia rasposa. Avery descubrió que si vertía bacterias virulentas muertas sobre las que no hacen daño, algunas se transforman en virulentas. Uno de los químicos en las bacterias virulentas muertas transportó el mensaje

oswald avery
Trabajó con la bacteria del neumococo en el instituto Rockefeller en Nueva York. En 1944, él y sus colegas, Maclyn McCarty y Colin Macleod habían extraído el "principio de transformación" que convertía las bacterias de cubierta rugosa en una variedad virulenta lisa, pero también habían mostrado que esto era ADN.

hereditario que puede convertir a las bacterias inofensivas en letales. ¿Pero qué químico fue? En los siguientes veinte años, Avery y su equipo se dedicaron a identificar el "principio de la transformación", que fue como ellos le llamaron. Todas sus pruebas sugirieron que esta sustancia era el ADN.

de vuelta a la genética

Europa estuvo al frente de la nueva ciencia de la genética hasta principios del siglo XX, cuando el centro de atención cambió a Estados Unidos, al laboratorio de Thomas Hunt Morgan.

Los descubrimientos de Morgan juntaron a la genética con la evolución y el desarrollo, en el proceso por medio del cual una célula da origen a la creación de un animal entero. Él y sus alumnos establecieron tres cosas sobre los genes que podían señalar en puntos específicos en los cromosomas.

En primer lugar, los genes eran unidades de la herencia de Mendel, los factores que determinaban las características. En segundo lugar, diferentes formas de genes proveen la variabilidad que la evolución necesita por medio de la selección natural. Finalmente, algunos genes eran los que controlaban el desarrollo.

Morgan llegó a la universidad de Columbia en Nueva York en 1904 con la determinación de entender el desarrollo. Encontró que la mosca era un sujeto ideal para sus experimentos. Morgan y sus alumnos estuvieron criando y cruzando moscas hasta que una mutación apareció. El mutante era un macho con ojos blancos, a diferencia de las moscas que normalmente los tienen rojos.

Cuando el macho de ojos blancos se cruzó con una hembra de ojos rojos, toda su descendencia, en la primera generación (f1) salió con ojos rojos. Entonces, el alelo que determina los ojos rojos domina sobre el alelo para ojos blancos. Morgan cruzó a un hermano con una hermana de la camada de la primera generación (f1) para procrear a la segunda generación y obtuvieron lo que esperaban, el resultado mendeliano: tres moscas de ojos rojos por cada mosca de ojos blancos, sin embargo encontraron algo inesperado.

Sólo los machos tienen ojos blancos. Todas las hembras y algunos machos tienen ojos rojos. De ésta manera, la mosca había roto la tercera ley de Mendel; el gen que determina los ojos blancos estaba vinculado con el gen que determina

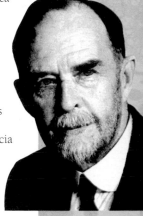

inicio del vuelo

Al ver que los ratones se reproducían muy lento, Morgan empezó a estudiar a la mosca, Drosophila Melanogaster. Es pequeña pero se reproduce rápidamente: producen 30 generaciones al año. Es fácil observarla ya que los huevos se desarrollan fuera del cuerpo de la madre y es muy sencilla porque sólo tiene cuatro pares de cromosomas.

herencia vinculada con el sexo

Morgan concluyó que el macho obtiene el cromosoma X de su madre y el cromosoma Y de su padre. Una hembra obtiene un cromosoma X de cada uno de sus padres. Planteó la hipótesis de que el gen que determina el color de ojos está en el cromosoma X, el cual también transmite el gen del sexo. No hay ningún gen de color de ojo en el cromosoma Y. En la descendencia del macho, cualquier gen que esté en el cromosoma X se reflejará en la descendencia.

X y Y : cromosomas
W y w: genes

femenino WW
Si la madre tiene dos genes de ojos rojos (mostrados aquí como W), todos sus hijos barones tendrán ojos rojos, aunque su padre tenga ojos blancos.

femenino Ww
Si la madre tiene un gen de ojo rojo y uno blanco (w), la mitad de sus hijos machos tendrán ojos blancos y la mitad rojos, sin importar de que color el padre tiene los ojos.

femenino ww
Si la madre tiene ojos blancos y el padre rojos, todos los hijos tendrán ojos blancos y las hijas los tendrán rojos, debido a que el cromosoma X del padre tiene un alelo dominante rojo.

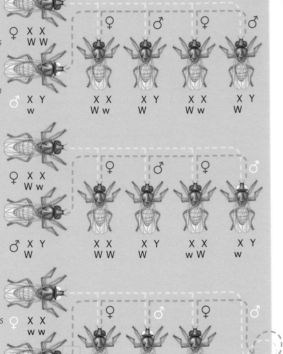

♀ hembra ojos rojos   ♀ hembra ojos blancos   ♂ macho ojos rojos   ♂ macho ojos blancos

el sexo. Al ver los cromosomas, Morgan podía ver que tres pares se veían iguales en los machos y en las hembras. Sin embargo, el cuarto par era diferente. Las hembras tenían un par de cromosomas que coincidían, llamados los cromosomas "x". Los machos tenían un solo cromosoma "x" que se apareaba con un cromosoma "y" mucho más pequeño, el cual nunca encontraron en las hembras. Morgan propuso que el gen que determina el color de ojos se vincula con el gen que determina el sexo (ver p. 20). Concluyó que los genes residen en los cromosomas y que cada gen reside en un lugar en particular, llamado *locus*, en un cromosoma en particular.

recombinación

Se dio un salto conceptual gigante: un cromosoma es una línea larga de genes. Los genes que se encontraban muy juntos tendían a quedarse juntos en generaciones subsecuentes. Las características estaban vinculadas. Ocasionalmente, las características vinculadas se separaban. A partir de esto, Morgan desarrolló la idea de la recombinación (o cruza). Durante la meiosis, los cromosomas apareados se unen antes de separarse en las células hijas. Morgan pensó que parte de los hilos podían cambiarse para que una parte del cromosoma de la madre y otra parte del cromosoma del padre se unieran para una combinación totalmente nueva de genes en su descendencia. Aquí estaba la base física y bioquímica de esa observación crucial: la descendencia es un poco parecida a ambos padres. Tienen algunos genes de su padre y algunos de su madre, y cada combinación es única. Morgan fue más allá y descubrió que si los genes estaban hilados a lo largo del cromosoma, existía la oportunidad de que dos cuentas se separaran al momento de la recombinación, dependiendo de la distancia entre ellas. Y si estaban en cromosomas diferentes, siempre se heredarían independientemente, justo como la ley de Mendel dictaba.

un collar genético
Los genes se acomodan en orden, como cuentas en un collar. Las posibilidades de que dos genes en el mismo cromosoma (como los genes seleccionados de la mosca mostrados aquí) se hereden juntos dependen de la distancia entre ellos. Los genes que están juntos generalmente se heredan juntos; aquellos que están separados entre sí, casi inevitablemente se separarán.

cuerpo velludo
ojos color escarlata
alas curvas
cerdas sin espinas
cuerpo rayado
venas en delta
cuerpo color ébano
superficie áspera de los ojos

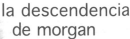

cromosoma

banda
producida por
el tinte

localizar genes
*Cuando se entintan
los cromosomas
de la mosca se
pueden dividir en
franjas claras y
oscuras como se
ve aquí. Calvin
Bridges pudo
asignar genes a
franjas como estas
creando uno de los
primeros mapas
físicos de
información
genética.*

**sello de
aprobación**
*Este timbre postal
sueco conmemora
el premio Nobel
otorgado a
Thomas Hunt
Morgan en 1933.
El fue el primer
americano en
ganar el premio.*

la descendencia de morgan

Un estudiante de Morgan, Alfred Henry Sturtevant, tomó información sobre patrones de herencia (o relación) en *Drosophila* y creó el primer mapa de los cinco genes conocidos en su cromosoma X. Su mapa mostraba el orden de los genes y la probabilidad de que estos permanecieran juntos durante la recombinación. En la misma época, otro estudiante de Morgan, Calvin Bridges, aprovechó una ventaja no vista de la mosca para crear un mapa físico que correspondiera al mapa de conexión de Sturtevants. Las células de las glándulas salivarias de la mosca contienen cromosomas gigantes que al ser teñidos, muestran patrones distintivos de franjas oscuras y claras. Un estudio profundo de las franjas reveló cambios físicos que eran copia de los cambios genéticos. Cuando Morgan ganó el premio Nobel en 1933, generosamente compartió el dinero con Sturtevant y Bridges.

Hermann J. Muller descubrió que los rayos x incrementan drásticamente los niveles de mutación. Esto hizo posible que el estudio de la genética, de la herencia y del desarrollo se diera mucho más rápido. Muller ganó el premio Nobel en 1946. George Beadle, quien entrenó a Morgan, trabajó con Edward Tatum y usó los rayos x para crear mutaciones en el moho *Neurospora*. Al trazar los efectos de las mutaciones, descubrieron que los genes portan el código para hacer proteínas, muchas de las cuales son enzimas, las cuales a su vez son químicos que permiten y controlan reacciones en las células. Beadle y Tatum resumieron su trabajo en dos palabras: "Un gen, una enzima". Ellos compartieron el premio Nobel en 1959 con otro estudiante de la universidad de Columbia, Joshua Lederberg.

la doble hélice

A principios de la década de los 1950, los biólogos sabían que el ADN portaba el mensaje hereditario, pero no sabían cómo lo hacía.

Tenía que ser algo relacionado con la manera en que la molécula de ADN se organizaba. En la primavera de 1953, el inglés Francis Crick y el americano James Watson se dieron cuenta de que había cuatro tipos de bases (C, A, G, y T) que embonaban como las partes de un rompecabezas. La belleza de la estructura de la molécula radica en que le permite al ADN transmitir información de una generación a otra con mucha sencillez, debido a que cada una de las dos hélices contiene toda la información necesaria para construir la mitad opuesta.

decodificadores

La misma estructura del ADN respondió a la pregunta sobre cómo pasaba la información de una generación a otra, pero no lo hizo en relación con la manera en que la información era portada en la molécula. El orden de los aminoácidos en una proteína determina su estructura y sus propiedades y de alguna manera el ADN almacena ese orden. Un código debe traducir el orden de las bases a lo largo del ADN al orden de los aminoácidos a lo largo de la proteína; los laboratorios alrededor del mundo se dedicaron a tratar de descubrir el código genético. Lógicamente, el código tenía que usar por lo menos tres bases para representar a cada aminoácido.

El código de un aminoácido puede ser pensado como una palabra formada por letras correspondientes a las bases. Con cuatro letras es posible formar 16 diferentes palabras de dos letras. Si las

haciendo el mapa de una molécula
Una física inglesa llamada Rosalind Franklin, descubrió claves importantes sobre la estructura de la molécula del ADN. Ella usó una técnica llamada cristalografía de rayos-X a través del ADN en una forma como cristal. La forma de la sombra sugería que la molécula era una hélice.

modelo respuesta
En la búsqueda por encontrar la estructura del ADN, Crick y Watson usaron modelos de los componentes. Ellos sabían por la evidencia de Franklin y de otros cómo debía ser la forma del ADN. Una vez que se dieron cuenta cómo se unían las bases, pudieron construir un modelo de la doble hélice.

la estructura del ADN

La molécula del ADN puede visualizarse como una escalera en espiral. Los lados de la escalera consisten de moléculas más pequeñas de azúcar y fosfato; los escalones están formados por moléculas base que se dan en pares. La información genética es representada por estos pares base que contienen la información necesaria para convertir una proteína en un gen. Las bases se unen de tal manera que cada mitad de la hélice tiene la información

necesaria para construir la mitad opuesta (conocida como su complemento), para que cuando los dos hilos se dividan, se pueda hacer una copia perfecta de la molécula.

la molécula del ADN

Un cromosoma consiste de una molécula de ADN larga y delgada rodeada por proteína. En estado normal, el ADN se extiende por el núcleo de la célula, pero justo antes de la división celular se empaca en una estructura compacta mostrada aquí.

tira de ADN enrollada apretadamente

un gen es un largo de ADN, normalmente mide miles de bases de longitud

"escalones" formados en pares base

dos tiras enrolladas alrededor de ellas mismas para formar una doble hélice

cómo se unen las bases

Las cuatro bases en una molécula de ADN se aparean en una manera específica. La adenina y la guanina son grandes y se les llaman purinas. La timina y la citosina son pequeñas y se les llama pirimidinas. A se une con T (pero no con C) y G se une con C (pero no con T) y cuando hacen la forma del par base, éste es idéntico en ambos casos. La única diferencia es que A y T se unen en dos lugares, mientras que C y G se unen en tres.

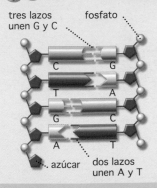

tres lazos unen G y C

fosfato

azúcar

dos lazos unen A y T

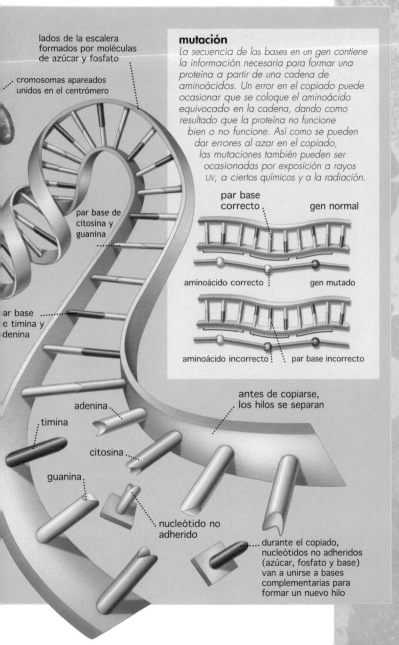

lados de la escalera formados por moléculas de azúcar y fosfato

cromosomas apareados unidos en el centrómero

par base de citosina y guanina

ar base e timina y denina

mutación

La secuencia de las bases en un gen contiene la información necesaria para formar una proteína a partir de una cadena de aminoácidos. Un error en el copiado puede ocasionar que se coloque el aminoácido equivocado en la cadena, dando como resultado que la proteína no funcione bien o no funcione. Así como se pueden dar errores al azar en el copiado, las mutaciones también pueden ser ocasionadas por exposición a rayos UV, a ciertos químicos y a la radiación.

par base correcto

gen normal

aminoácido correcto

gen mutado

aminoácido incorrecto

par base incorrecto

antes de copiarse, los hilos se separan

adenina

timina

citosina

guanina

nucleótido no adherido

durante el copiado, nucleótidos no adheridos (azúcar, fosfato y base) van a unirse a bases complementarias para formar un nuevo hilo

del ADN a la proteína

Las proteínas desempeñan varias funciones en el cuerpo; forman estructuras como el pelo y la piel; otras, como son las enzimas y las hormonas, controlan la actividad celular. El cambio de gen a proteína empieza en el núcleo de la célula en donde se hace una copia del gen. La copia llamada hebra mensajera ARN (mARN) se mueve hacia el citoplasma en donde se convierte en proteína por una unidad de ensamblado llamada ribosoma y por unas moléculas adaptadoras especiales de transferencia ARN (tARN), las cuales acomodan a los diferentes aminoácidos en su lugar.

las hebras o hilos del ADN se separan

la hebra de mARN se forma a partir de bases en el núcleo

nucleótido no adherido

núcleo celular

la molécula de tARN entrega el aminoácido

aminoácido

transcripción

La hélice se desenreda y las hebras de ADN se separan. Usando una de las mitades como plantilla, una molécula de mARN se ensambla a partir de bases que no están adheridas en el núcleo. Luego, el mARN se separa de la plantilla de ADN y se mueve hacia el citoplasma.

hebra o hilo de mARN

el ribosoma se mueve a lo largo de la hebra de mARN leyendo codones

el codon en tARN complementa al codon en mARN

el aminoácido es agregado a la cadena

el tARN se desengancha

enzima

cadena de aminoácido

ensamblando una proteína

Un ribosoma se mueve a lo largo de la hebra de mARN. Conforme lee cada codon, el aminoácido correspondiente es entregado por una molécula de tARN y es añadido a la cadena. La molécula de tARN se desengancha y el ribosoma avanza al siguiente codon.

ensamble completo

Cada vez que el ribosoma llega a un codon, el ribosoma se cae y la cadena de aminoácido es liberada. Luego la cadena se dobla para formar la proteína completa.

la cadena se tuerce y se dobla para quedar como una proteína

palabras tienen tres letras, hay 64 palabras posibles, lo cual es suficiente. Palabras de cuatro letras sería demasiado. Los científicos trabajaron para encontrar palabras de tres letras (también llamadas codones o tripletes) que codifiquen a determinados aminoácidos. En unos cuantos años, los 64 codones ya habían sido traducidos de la siguiente manera: 60 codifican para los aminoácidos, mientras que tres son señales de alto y uno es señal de comienzo.

El código resultó ser virtualmente idéntico en todos los seres vivos que fueron examinados, lo que es evidencia de que toda la vida sobre la tierra descendió de un ancestro común.

codon de ADN   aminoácido

T T T = f

T G G = w

C C T = p

C C C = p

C C A = p

T T C = f

T A G = X

codon en alto

haciendo códigos para los aminoácidos

Los 64 diferentes codones de tres letras del ADN se traducen en 20 aminoácidos. Un grupo muestra de aminoácidos (representados por abreviaciones de una sola letra) y sus codones correspondientes se muestran aquí. La mayoría de los aminoácidos se codifican por más de un codon, mientras que las cadenas de proteínas crecientes se terminan por uno de tres codones de alto.

en vísperas de una revolución

Para finales de la década de los sesenta, la biología molecular parecía estar bastante clasificada. Así, los genes se codifican para las proteínas y se estiran linealmente a lo largo de los cromosomas. El mensaje hereditario es transportado por medio de ácidos nucleicos. ADN en la mayoría de las formas de vida y ARN en unos cuantos virus. El mensaje es transportado en un código triple, en el cual una palabra de tres bases especifica un aminoácido en particular. La secuencia base es utilizada para manufacturar proteínas dentro de las células por medio de un proceso llamado traslación (ver p. 26). La manera en que todo esto funciona es cuestión de detalles, y alrededor del mundo los biólogos están tratando de encontrar más información sobre estos detalles.

" Las dos cadenas del ADN, las cuales embonan como un guante en una mano, se separan de alguna manera y la mano actúa como un molde para la información de un nuevo guante, mientras que el guante actúa como un molde para una nueva mano. Así terminamos con dos manos con guantes en donde antes sólo había una. "

Francis Crick, 1957

lectura de genes

Desde el momento en que los biólogos moleculares descifraron el primer triplete de códigos genéticos, se entusiasmaron con la idea de leer el mensaje genético entero de un organismo, es decir, su genoma. En sentido real, sería el libro de la vida, y el pensar en la posibilidad de buscar en él las claves a ciertos misterios era muy llamativo. Sin embargo, los primeros esfuerzos que se hicieron para descifrar el genoma humano resultaron demasiado aburridos. Sydney Brenner tuvo una participación importante en encontrar el significado del ARN mensajero, sin embargo, opinaba que descifrar el genoma humano era un trabajo tan difícil y tedioso que los presos lo deberían de hacer como castigo. Todo eso cambió muy rápido gracias a la maquinaria que se creó para enfrentar el problema. Los conceptos principales de la lectura del ADN no han sido alterados desde que el primer genoma fue secuenciado en 1970, aunque sí hay algunas excepciones.

```
GGAGGCTGCTCCTTTTCCTCCGAAAGTCT
AAAGGGAGCGCATTGAGGCCCAGAATAGG
CTTTGATGCCAAAACATCTGTCTTTGTG
GGAGCCCAAAGAATCCTTTGTCAAAGGG
CATCCAGAGCAGAGAAGGAGGAAAAGTG
GGTGAAGACTGAGGGAGGAGCGACTCTG
AGTGAAGGATGATCAGGTCTTCCCCATG
CCCTCCCAAATATGACAAGATCGAGGA
GGCCATGATGACTCATCTGCATGAGCCT
TGTGCTGTACAACCTCAAAGAACGTTAT
AGCCTGGATGATCTACACCTATTTCAGGT
CTTCTGTGTCACTGTCAACCCCTACAAGT
CTGCCTGTGTATAAGCCCGAGGTGGTGA
GCCTACCGAGGCAAAAAGCGCCAGGAGG
CCGCCCCACATCTTCTCCATCTCTGACAA
CCTATCAGTTCATGCTGACTGACCGAGA
ATCAGTCAATCCTGATCGCTGGAGAATC
GTGCAGGGAAGACTGTGAACACCAAGCG
TCATCCAGTACTTTGCAACAATTGCAGT
CTGGTGAGAAGAAGAAGGAAGAAATTAC
CTGGCAAAATACAGGGGGACTCTGGAAGA
AAATCATCAGTGCCAACCCCCTACTGGA
CCTTTGGCAACGCCAAGACCGTGAGGAA
ACAACTCCTCTCGCTTTGGTAAATTCAT
GAATCCACTTTGGCACTACTGGAAAACT
CATCTGCTGATATTGAAACATATCTGCT
AGAAGTCTAGAGTTGTTTTCCAGCTTAA
CTGAGAGAAGTTATCATATTTTTTACCA
TTACATCGAATAAGAAACCAGAACTTAT
AAATGCTTCTGATTACCACGAACCCATA
ATTACCCATTTTGTCAGTCAAGGGGAGAT
GTGTGGCCAGCATCGATGATCAGGAAGA
TGATGGCCACAGATAGTGCTATTGATAT
TGGGCTTTACTAATGAAGAAAAGGTCTC
TTTACAAGCTCACGGGGGCTGTGATGCA
ATGGGAACCTAAAATTTAAGCAAAAGCA
GTGAGGAGCAAGCAGAGCCAGATGGCAC
AAGTTGCTGACAAGGCGGCCTACCTCCA
GTCTGAACTCTGCAGATCTGCTCAAAGC
TCTGCTACCCCAGGGTCAAGGTCGGCAA
AGTATGTCACCAAAGGCCAGACTGTAGA
AGGTGTCCAACGCAGTAGGTGCTCTGGC
AAGCCGTCTACGAGAAGATGTTCCTGTG
TGGTTGCCCGCATCAACCAGCAGCTGGA
CCAAGCAGCCCAGGCAGTACTTCATCGG
```

cromosoma 17
Esta es una parte muy pequeña de la secuencia del ADN en el cromosoma humano 17. La secuencia de éste cromosoma se leyó en laboratorios en Estados Unidos y Alemania; en total 20 laboratorios estuvieron involucrados en el Proyecto del genoma humano.

una caja de herramientas

tijeras del ADN
La molécula del ADN es extremadamente larga. Para leer su secuencia, las personas que hacen mapas genéticos necesitan romperla en fragmentos más manejables. Algunas de las herramientas más útiles para cortar el ADN son químicos llamados enzimas de restricción, que reaccionan con el ADN y lo rompen en secuencias específicas.

extremos pegajosos
La enzima de restricción ECORI reconoce la secuencia GATTC en una hebra, la cual será opuesta CTTAAG en la otra. El ADN es cortado entre la G y la A en ambas hebras, dejando una sola hebra de TTAA, conocida como extremo pegajoso, proyectándose en cada extremo del fragmento.

Para secuenciar un genoma hay que leer las bases nucleótidas conforme ocurren a lo largo de la molécula del ADN. Pero esta no es la historia completa. Para que la secuencia tenga significado, los científicos que hacen mapas de genes necesitan encontrar dónde empieza un gen y dónde acaba. También necesitan saber lo que cada gen hace.

Como en todos los avances tecnológicos, los métodos rápidos para hacer secuencias dependían del desarrollo de mejores herramientas. Aunque las secuencias de ahora necesitan de muchas herramientas para ser formadas, hay dos herramientas en particular que son indispensables: tijeras de "precisión" para cortar el ADN, y equipo y técnicas para separar fragmentos que se producen al cortar.

Las tijeras son enzimas que se encuentran en todos los tipos de bacterias. Se les llaman enzimas de restricción porque restringen la habilidad de los virus para crecer en la bacteria ya que cortan el ADN del virus en pequeños pedacitos. Existen también métodos mecánicos como menear violentamente o usar vibraciones ultrasónicas para fragmentar el ADN, pero los cortes se hacen al azar. Las enzimas de restricción son más específicas, así que cada vez que se usan rompen el ADN exactamente en la misma secuencia.

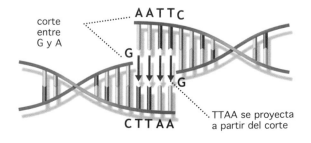

corte entre G y A

A A T T C

G

G

C T T A A

TTAA se proyecta a partir del corte

separando fragmentos

Los fragmentos de ADN pueden ser separados de otros usando una técnica llamada electroforesis en gel. Se carga una mezcla de fragmentos en un extremo del gel hecho de largas moléculas unidas holgadamente entre sí. Los fragmentos de ADN son cargados eléctricamente de tal manera que cuando se les aplica corriente tienden a moverse a través del gel. Conforme los fragmentos se mueven, las moléculas de gel entorpecen el progreso. Los fragmentos pequeños pasan fácilmente y por lo tanto se mueven más rápido que los grandes. Con el tiempo, la mezcla de fragmentos se extiende por todo el gel.

gel electrophoresis
En la electroforesis en gel, las hebras de ADN se mueven atravesando un tubo capilar (mostrado aquí).

se aplica corriente eléctrica al gel

fragmentos de diferentes largos son cargados en un extremo del tubo

gel de largas moléculas vinculadas

los fragmentos se mueven por todo el gel

los fragmentos largos se mueven más lento que los cortos

los fragmentos idénticos se acumulan en franjas separadas

60 cm

Cada enzima de restricción reconoce a una secuencia genética en particular (llamado sitio de reconocimiento) y corta el ADN en esa secuencia y en ningún otro lado. Los nombres de las enzimas tienen relación con los nombres de las bacterias en donde fueron encontradas. De ésta manera, a la primera enzima que se aisló de la *Escherichia coli* se le llama ECORI. Cuando ECORI corta el ADN, crea lo que se conoce como extremo pegajoso. Otras enzimas de restricción cortan a lo ancho de la doble hélice, dejando los extremos pegajosos, lo cual resulta útil porque permite que dos conjuntos de ADN, probablemente de dos organismos se unan. Si las hebras del ADN de dos organismos se mezclan y se cortan con ECORI, entonces todos los fragmentos tendrán los mismos extremos pegajosos. Estas hebras pegajosas complementarias se atraen, por lo tanto el fragmento de un organismo seguramente se unirá con el fragmento de otro organismo. Esta es la base de la técnica por medio de la cual los biólogos moleculares unen pedazos de ADN, combinando ADN de diferentes fuentes para hacer una molécula recombinante de ADN.

Existen diferentes enzimas de restricción que reconocen diferentes secuencias, pero lo más importante es que una enzima de restricción específica siempre va a cortar una pieza de ADN para que queden siempre los mismos conjuntos de fragmentos. Esto hace que sea posible obtener muchos fragmentos idénticos de una muestra de ADN.

La segunda herramienta crucial para hacer secuencias permite que fragmentos de ADN sean separados uno del otro y arreglados en grupos de fragmentos idénticos. Esta técnica es conocida como electroforesis en gel (*ver recuadro p. 31*).

las primeras secuencias

Con enzimas de restricción y electroforesis en gel (y otras herramientas), el método usado para leer una secuencia base no es difícil de comprender. Es necesario empezar con una muestra purificada de ADN. Luego se rompe con una enzima de restricción, esto nos da una marca de comienzo idéntica para todos los fragmentos. Ahora hay que hacer copias múltiples de los fragmentos, pero al detener su crecimiento al azar, lo más seguro es que estas copias se encuentren incompletas. Esto da un conjunto de fragmentos, los cuales empiezan en el mismo punto pero terminan en un número de base diferente.

extensiones rotas
Para poder leer la base de una secuencia de un fragmento de ADN primero se acomodan en orden de longitud copias terminadas de un fragmento al azar. Identificando la última letra de cada segmento (leyendo de abajo hacia arriba, como en el ejemplo mostrado aquí) se puede leer la secuencia de la extensión original.

AATCGG**A**
AATCG**G**
AATC**G**
AAT**C**
AA**T**   bases leídas
A**A**   desde las puntas
                concuerdan
A   con la
                secuencia
                original
                secuencia original
AATCGGA

Idealmente habrá unos fragmentos que tengan una base más larga que la del principio, algunos serán con dos bases más y otros con tres, hasta que haya fragmentos con cientos de bases de longitud. Durante el copiado, la base al final de cada extremo es etiquetada con tinte fluorescente. Una vez que las hebras han sido clasificadas por electroforesis en gel, la secuencia de la hebra original puede ser encontrada leyendo la base etiquetada al final de cada segmento con un láser.

Existen dos métodos para hacer secuencias. Uno fue creado por Fred Sanger de la universidad de Cambridge y es la base de las secuencias modernas. El otro fue creado por Walter Gilbert y Allan Maxam de la universidad de Harvard y ya no se usa. Sanger y Gilbert compartieron el premio Nobel de química en 1980. Realmente los detalles de los métodos no importan debido a que los únicos que los tienen que entender son los que hacen las secuencias, y además hoy en día el trabajo es hecho por máquinas. Lo que sí es importante es que cualquiera que sea el método que el científico escoja pueda hacerlo rápido y de manera confiable.

Los nuevos métodos revelan rápidamente sorpresas inesperadas, la más grande ha sido que los genes no son simples estiramientos lineales de ADN como la gente se había imaginado. Un gen promedio consiste en varias secuencias que codificaron para ser proteína pero fueron enterradas en extensiones largas que parecía que no codificaban para nada. Un ejemplo era el gen del colágeno, que es una proteína clave en los componentes de ligamentos y tendones. El "gen" mide aproximadamente 38 mil bases de largo. Pero las secuencias de codificación cubren solo 5 mil extendidas sobre las 38 mil y son interrumpidas por mas de 50 extensiones de secuencias "sin sentido".

ELAAGJIGENWPX**MIDE**W**TREINTA**SGYIU**OCHO**
W**MIL**ASY**BASES**AEE**DE**SSF**LARGO**.F**PERO**KLAS
XHE**SEC**X**UENCIA**WR**DE**QU**CODIFICACIÓN**DHFF
CUBREEWD**SÓLO**KGFL**CINCO**QMILPOIJVVI**BAS
ES**TYD**REPARTIDAS**DFGUE**ENTRE**JSOEF**LAS**JFVLF
TREINTAYYOA**OCHO**XE**MIL**WDJODG**BASES**GTR
PEYFIDD**INTERRUMPIDA**JHCCS**POR**YAOWCKR,
W**MÁS**SS**DEM**CINCUENTA**TGEDS**SECUENCIAS**
WAVCS**SIN**HDQA**SENTIDO**SMIRWXZOPSJFKOSJIL

Frederick Sanger

El científico inglés Frederick Sanger es uno de los dos científicos que ganaron el premio Nobel dos veces en la misma disciplina. Fue premiado por primera ocasión en 1953 por su trabajo sobre la estructura de la proteína de la insulina. En 1980 ganó un segundo reconocimiento por su trabajo sobre las secuencias de los genes, estudiando un virus llamado PHI X 174, que afecta a la bacteria E. Coli.

ADN de desecho

La parte que tiene sentido del mensaje del ADN, es decir, la parte que codifica para proteínas, es intercalado con letras que parecen no servir para nada. Estas letras sin significado son llamadas desperdicio de ADN.

el proyecto del genoma humano

robert sinsheimer

Uno de los primeros científicos que consideró seriamente la secuencia del genoma humano fue Robert Sinsheimer. Él organizó una reunión en Santa Cruz, en Estados Unidos, en donde se plantó la semilla de lo que se convirtió en el Proyecto del genoma humano.

libros de la vida

En 1985, la secuencia más larga que se había leído era la virus Epstein Barr. En comparación, si esa secuencia fuera usada para llenar un libro, la secuencia humana llenaría 20 mil del mismo tamaño.

La idea de hacer secuencias de todo el genoma humano surgió por primera vez en la mente de un americano llamado Robert Sinsheimer. En 1985 reunió a las mentes más brillantes en el campo del mapeo genético para reflexionar sobre esta idea. Ellos estaban de acuerdo en que era una idea excitante y audaz, pero no era realista.

En ese momento no podían siquiera contemplar la idea de secuenciar una bacteria. El organismo más grande que había sido secuenciado era un virus que sólo tenía 150 mil bases.

Empezar a trabajar en el genoma humano parecía una locura. Algunos de los ahí reunidos, como Walter Gilbert, se entusiasmaron con la idea. Gilbert convenció a James Watson, quien participó en el descubrimiento de la estructura del ADN. Poco a poco, otros científicos, algunos de ellos poderosos administradores de instituciones científicas se fueron uniendo a la causa. En un año, los sentimientos habían cambiado y decidieron que sí era posible secuenciar el genoma humano. Sin embargo, un nuevo obstáculo apareció, y aunque era posible, no debía hacerse porque se retiraría el apoyo económico de otros proyectos de investigación importantes. De la

virus del genoma del Epstein–Barr (150,000 bases)

genoma humano (3,000,000,000 bases)

¿de quién es la secuencia?

Al principio, en el Proyecto del genoma humano, mucha gente se preguntaba la manera en que esas secuencias se podrían leer. El genoma de cada individuo es diferente (en aproximadamente una letra por cada 500, ahora lo sabemos, gracias a los esfuerzos por hacer secuencias). Entonces, ¿quién representaría el genoma humano canónico? Se rumoró que era James Watson al que se estaba secuenciando. Realmente esto no importa porque en todos los lugares donde los individuos difieren, la secuencia es anotada para identificar las diferencias. Cada nueva diferencia se añade a lo que se conoce como la secuencia de consenso. Así la secuencia final es de todos y de nadie.

misma manera, ¿para qué hacer la secuencia completa si gran parte de ella era basura? ¿Por qué mejor no secuenciar nada más los genes, los fragmentos que importan en el momento en que sean necesarios?

el comienzo de la aventura

En los años siguientes, los argumentos continuaron al igual que las disputas de poder sobre la recaudación de fondos y sobre quién iba a controlar el proyecto. En 1988, los institutos nacionales de salud en Estados Unidos crearon una oficina para la investigación del genoma y Watson era el director. En Inglaterra, se unió el Wellcome Trust, que es un servicio médico de caridad, se unió así como también otros laboratorios del mundo. El Proyecto del genoma humano estaba trabajando con una estrategia muy bien pensada y diseñada.

En primer lugar, no iban a empezar con el genoma humano, ni con sus secuencias. Decidieron hacer mapas detallados de los cromosomas y empezar con la bacteria *Escherichia coli*, el gusano *Caenorhabditis elegans*, y con el ratón *Mus musculus*. Los mapas son útiles para la gente que anda buscando genes individuales, y porque les facilita a los secuenciadores el posicionamiento de sus resultados en el genoma una vez que la tecnología se volvió lo suficientemente barata y rápida para poder funcionar y poder trabajar en la verdadera secuencia.

amplificando el ADN

Los científicos que trabajan en las secuencias del genoma necesitan hacer múltiples copias de fragmentos de ADN. A esto se le llama amplificación del ADN. A finales de la década de los 1980, gracias a una nueva técnica llamada reacción en cadena de polimeraza fue posible amplificar el ADN mucho más rápido que antes. La reacción en cadena de polimeraza usa una enzima llamada polimeraza, la cual puede manufacturar ADN complementario en un tubo de probeta. Tomando una sola hebra como plantilla y un suplemento de los cuatro nucleótidos (A, T, C y G). También necesita dos secuencias cortas de ADN, llamadas "primers", que complementan regiones en ambos lados de la plantilla. La reacción es corrida en una serie de ciclos, uno de los cuales es mostrado aquí. Con cada ciclo, la cantidad de ADN se duplica.

primer.

polimeraza

nucleótido

plantilla   primer.

el primer se engancha a la plantilla

la mezcla de reacción
La hebra de la plantilla que incluye polimeraza, nucleótidos y primers se ponen en un tubo y se colocan en una máquina que regula su temperatura.

las hebras se separan
La mezcla se calienta a 95 °C, lo que ocasiona que las hebras del ADN se separen. La mezcla se enfría a 37 °C y los primers se enganchan a las secuencias complementarias en cualquiera de los lados de la plantilla.

el nucleótido se une a la plantilla

la polimeraza inicia el copiado

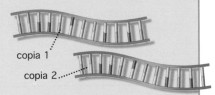

copia 1

copia 2

los nucleótidos se enganchan
Cuando se calienta la mezcla a 72 °C, la polimeraza hace una nueva hebra empezando por el "primer" y trabaja a lo largo de la plantilla.

dos copias
Al final del ciclo, hay dos copias de la secuencia de la plantilla original. Después de otro ciclo, habrá cuatro copias de la plantilla.

Existen dos clases de mapas: los genéticos y los físicos. En un mapa genético los indicadores se acomodan en el orden correcto y en una posición relativa entre ellos sobre los cromosomas. El primer mapa de vínculos de Morgan fue genético. Cuando sus colegas identificaron mutaciones genéticas con patrones visibles en los cromosomas, fue entonces que hicieron el primer mapa físico, en el cual se ponen indicadores en sus posiciones reales en los cromosomas. La secuencia de cada base es su mapa físico definitivo.

Mientras los primeros mapas se hacían, se avanzó en el desarrollo de herramientas para manejar el ADN. Una de las herramientas más útiles resultó ser un método para hacer copias artificiales de fragmentos de ADN (*ver recuadro p. 36*).

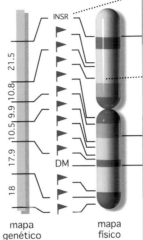

mapa genético   mapa físico

indicadores y genes pueden ser localizados en ambos mapas

gen para la resistencia de insulina a la diabetes

regiones de cromosoma identificadas por tintes químicos

gen para la anemia hemolítica

gen para la distrofia miotónica

mapas

En un mapa genético, las distancias entre los genes y los indicadores (éstos aparecen con banderas) se miden en una "frecuencia de recombinación" (marcados abajo a la izquierda del mapa). Esta es la posibilidad de que los genes y los indicadores se separen durante la meiosis. En un mapa físico, las mismas características pueden asignarse a regiones identificadas por el tinte.

secuencia a los indicadores

Un mapa genético necesita muchos indicadores, un mapa con una cuadrícula muy espaciada es difícil de usar cuando quieres encontrar una calle en lugar de un país. Los primeros indicadores fueron características visibles, como es el gen de ojos blancos. Sin embargo, cualquier diferencia entre los individuos, conocida como polimorfismo, puede ser un indicador. Imagina una sola mutación que cambia el sitio de reconocimiento de la enzima de restricción. La enzima no va a volver a cortar ahí, entonces va a haber un fragmento menos, el cual va a verse cuando se separen los fragmentos en el gel. Este tipo de indicador se llama fragmento de restricción longitudinal de poliformismo. Estos y otros tipos de polimorfismos no tienen relación con ningún gen en específico, pero pueden ser detectados y su herencia estudiada y al final eso es lo que importa. Estos indicadores juegan un papel muy importante, ya que conforme se fueron identificando más de ellos y mientras los espacios entre ellos se hicieron más pequeños, podían ser utilizados para identificar regiones de los cromosomas que eran lo suficientemente pequeños como para ser secuenciados (*ver recuadro abajo*).

Para 1990 los mapas que relacionan los indicadores genéticos a los cromosomas físicos estaban casi completos para el *Nematodo caenorhabditis* y para los hongos. La

hacer el mapa

Una máquina de secuencias sólo puede leer alrededor de 500 bases a la vez. Esto quiere decir que la secuencia completa tiene que ser ensamblada a partir de cientos de miles de fragmentos pequeños. Poner los fragmentos en orden es la parte difícil. En la práctica, los científicos que hacen mapas empiezan con el cromosoma completo y con los fragmentos pequeños. El método mapeo de "arriba-abajo" se usa para hacer un mapa de cromosomas de baja resolución, que se va haciendo más detallado entre más indicadores se encuentren en el lugar correcto en el mapa. La técnica llamada de mapeo de "abajo-arriba" empieza con un pedazo de ADN con indicadores que lo localizan en el mapa de "arriba-abajo". Este es fragmentado en pequeños pedazos, los cuales son puestos en orden al examinar sus propios indicadores. Las personas que hacen los mapas deciden cuáles son las piezas que hay que secuenciar a detalle. La secuencia final se produce al combinar dos tipos de mapas.

mapa de "arriba-abajo"
El cromosoma es cortado en pedazos grandes. Los indicadores se van asignando en varias etapas para hacer un mapa detallado progresivamente.

cromosoma bacterial artificial

de "abajo-arriba" etapa 1
El cromosoma es cortado al azar en fragmentos grandes. Cada fragmento es clonado usando bacterias para hacer un cromosoma bacterial artificial.

tecnología de secuencias había mejorado y las pruebas para comprobar la posibilidad de hacer secuencias de extensiones largas de ADN estaba en camino. Varios cromosomas humanos habían sido asignados a los centros que participaban en el proyecto, se habían descubierto genes individuales importantes y se les había secuenciado y parecía que todo marchaba como se había planeado. En ese momento Craig Venter, un científico que había trabajado en los institutos nacionales de salud, fundado por el gobierno de Estados Unidos, empezó a trabajar en algo muy importante.

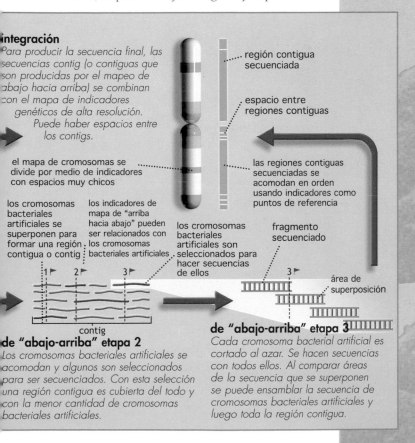

Integración

Para producir la secuencia final, las secuencias contig (o contiguas que son producidas por el mapeo de abajo hacia arriba) se combinan con el mapa de indicadores genéticos de alta resolución. Puede haber espacios entre los contigs.

región contigua secuenciada

espacio entre regiones contiguas

el mapa de cromosomas se divide por medio de indicadores con espacios muy chicos

las regiones contiguas secuenciadas se acomodan en orden usando indicadores como puntos de referencia

los cromosomas bacteriales artificiales se superponen para formar una región contigua o contig

los indicadores de mapa de "arriba hacia abajo" pueden ser relacionados con los cromosomas bacteriales artificiales

los cromosomas bacteriales artificiales son seleccionados para hacer secuencias de ellos

fragmento secuenciado

3►

área de superposición

contig

de "abajo-arriba" etapa 2

Los cromosomas bacteriales artificiales se acomodan y algunos son seleccionados para ser secuenciados. Con esta selección una región contigua es cubierta del todo y con la menor cantidad de cromosomas bacteriales artificiales.

de "abajo-arriba" etapa 3

Cada cromosoma bacterial artificial es cortado al azar. Se hacen secuencias con todos ellos. Al comparar áreas de la secuencia que se superponen se puede ensamblar la secuencia de cromosomas bacteriales artificiales y luego toda la región contigua.

carrera de dos caballos

Craig Venter y su colega Mark Adams adoptaron una técnica que hacía uso de los fragmentos de ADN conocida como marcaje de secuencia expresada, la cual encontraba genes a una velocidad no vista antes, aproximadamente mil al mes. No sabían lo que los genes codificaban, pero seguramente las secuencias eran codificaciones verdaderas de extensiones de ADN y no nada más basura o desperdicios. Entonces, ¿por qué no hacer secuencias solamente de los genes y dejar la basura para después? Los marcajes de secuencia expresada usan la maquinaria corporal del cuerpo que hace proteína para encontrar genes. En lugar de romper el genoma completo, con todo y lo que no sirve (desperdicio) en pedacitos, el grupo de Venter hizo copias de todos los ARN mensajeros (mARN) que pudieron encontrar en varios tipos de células. A partir del mARN, podían hacer una copia de ADN y luego hacer secuencias de eso. La copia era de ADN que había sido expresado (es decir, trasladado a mARN) por lo tanto con marcaje de secuencia expresada. Con el marcaje de secuencia expresada podían buscar en todo el genoma el lugar en los cromosomas en donde se localiza el gen que produce marcajes de secuencia expresada (*ver recuadro derecha*).

en busca de genes

Craig Venter y sus colegas usaron una técnica llamada hibridización fluorescente in situ para encontrar la localización de los fragmentos de ADN que coinciden con los indicadores de secuencia expresada. En éste método, un indicador es etiquetado con un indicador fluorescente y es insertado en una célula, en donde se engancha a la región complementaria en el cromosoma. Esa región puede ser identificada al buscar el brillo del indicador.

etiqueta localizada por indicador fluorescente

secuencia de escopeta del genoma entero

Venter dejó los institutos nacionales de salud y formó dos organizaciones privadas. La primera es el Instituto de investigación genómica, una compañía no rentable que usa la maquinaria más novedosa para hacer secuencias de genomas. La otra, llamada Ciencias del genoma humano, tendría acceso a la información de la primera compañía y trataría de usar esa información para obtener ganancias. Teniendo máquinas de secuencia rápida y computadoras poderosas a su disposición, Venter decidió usar una aproximación alternativa para hacer secuencias.

Este método fue desarrollado por Fred Sanger en 1982 y se llama secuencia de escopeta del genoma entero, debido a que al comienzo del proceso un cromosoma es fragmentado al azar, como si se hubiera disparado una escopeta del tamaño de una célula al núcleo (*ver recuadro abajo*). El Instituto de investigación genómica empezó por la *Hemofilia Influenza*, de la cual se había aislado una de las primeras enzimas de restricción. El genoma de la *H. Influenza* es más pequeño que el de la *E. Coli*, la cual

un triunfo anticipado
La bacteria H. Influenza causa varias infecciones en los humanos, incluyendo la meningitis y la neumonía. Tener la secuencia de la información de estos microorganismos les ha ayudado a los biólogos a comprender mejor su funcionamiento.

secuencia de escopeta

La secuencia de escopeta es un método bastante sencillo de lectura de la secuencia de un genoma porque primero necesita localizar los fragmentos individuales del ADN en un mapa antes de hacer sus secuencias. El método se basa en computadoras muy poderosas para el ensamble de la secuencia acabada.

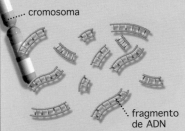

...... cromosoma

`.` fragmento de ADN

fragmentación
Un cromosoma es cortado al azar en miles de fragmentos pequeños, que después son secuenciados.

superposicionamiento entre fragmentos

fragmentos ordenados

ensamble
Se utiliza una computadora para comparar las secuencias de los fragmentos, que pueden ser ordenados al alinear regiones donde se enciman.

sorpresas en la secuencia

A mediados de la década de los noventa una de las compañías creadas por Craig Venter (el Instituto de investigación genómica) demostró lo útil que es la información genómica por medio de la lectura de las secuencias de varias bacterias.

Helicobacter Pylori es la bacteria que causa las úlceras estomacales. Una extensión de su ADN codifica para enzimas mandando la señal que indica que necesita sobrevivir en los ácidos más fuertes del estomago, su ADN también codifica para otras enzimas que le ayudan a pegarse a las paredes interiores del estómago. Su secuencia es utilizada por médicos y compañías farmacéuticas para desarrollar vacunas y nuevas medicinas que ayuden a curar las úlceras y otras enfermedades causadas por *H. Pilori*.

Existe otra bacteria llamada **Deinococo Radiodurans** que parece de ciencia ficción. Es casi completamente resistente al daño producido por la radiación, también sobrevive a la inanición, a secarse y a casi todo con lo que se le enfrenta. Sus cromosomas son fragmentados en cientos de pedazos pero en doce horas los vuelve a unir, repara el daño y se reproduce. La secuencia de su ADN le informa a los científicos sobre sus procesos de reparación de ADN y por medio de un genoma modificado *D. Radiodurans* podría ayudar a limpiar los desperdicios radioactivos.

después de nueve años de recibir fondos del gobierno seguía incompleta. En 1994, Venter pidió un permiso a los institutos nacionales de salud para hacer una prueba con su nuevo método haciendo secuencias de la *H. Influenza* pero empezó a trabajar sin recibir respuesta a su petición de permiso. Los institutos nacionales de salud negaron la aplicación para obtener fondos al Instituto de investigación genómica en 1995 argumentando que lo que estaban proponiendo era imposible. En ese momento la secuencia de *H. Influenza* estaba completa en 90%. El Instituto de investigación genómica publicó unos meses más tarde la primera secuencia completa de cualquier organismo vivo. Luego Venter produjo una serie de secuencias de genomas muy interesantes (*ver recuadro arriba*). Al mismo tiempo otras secuencias estaban siendo acabadas por otros grupos de científicos alrededor del mundo. En 1995, los directores de laboratorios involucrados en el Proyecto del genoma humano consideraron publicar un borrador no terminado de la secuencia humana para el año 2000. Las agencias de Estados Unidos dirigidas por Francis Collins, quien reemplazó a James Watson no querían que los apresuraran. Collins pidió a los centros de secuencias que empezaran a trabajar en un fragmento grande de ADN para demostrar las mejoras en velocidad y costo necesarias antes de poder atacar la secuencia directamente. Sin embargo, Venter hizo otro anuncio iconoclasta y Collins tuvo que doblar las manos.

inicia la carrera

En mayo de 1998, Venter reveló que había formado un equipo con la corporación Perkin Elmer (la cual hizo las primeras computadoras y máquinas de secuencia) para crear una compañía nueva llamada Genómicos Celera que secuenciaría el genoma humano independientemente en tres años y con sólo $300 millones (lo que era mil veces más barato que lo previsto para el proyecto público). También dijo que cada tres meses daría informes (el proyecto de fondos públicos lo hace a diario); Celera generaría sus propios recursos analizando la información y vendiéndola a suscriptores. La participación de Perkin Elmer en esto era proveerle a Venter 300 nuevas máquinas de secuencia que fueran capaces de leer más ADN, con mayor rapidez y con mayor exactitud que cualquier otra que ya existiera.

El proyecto público respondió al reto de Venter anunciando un programa que entregaría el genoma completo en 2003, dos años antes de lo programado, pero dos años más tarde que Venter. En octubre de 1999, Celera anunció que ya había leído las primeras dos billones de bases del genoma humano. El Proyecto del genoma humano respondió diciendo que Celera no había comunicado la información para que otros científicos la evaluaran y en noviembre de 1999 continuó celebrando una "fiesta de

acumulando velocidad
Esta gráfica muestra el número de bases secuenciadas del ADN humano por el Proyecto del genoma humano hecho con recursos públicos. El mejoramiento en las técnicas y en las máquinas hizo posible que la lectura de la secuencia se hiciera muy rápido.

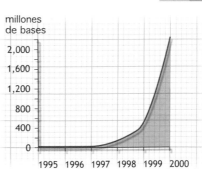

millones de bases

la foto final

*La competencia
por leer el
genoma
humano puede
considerarse
un empate,
debido a que
la secuencia
hecha por las
organizaciones
pública y privada
acordaron
anunciar que
habían terminado
en el mismo
día. Los dos
borradores de
la secuencia se
publicaron unos
meses más tarde.*

cumpleaños" para celebrar su propio billón de bases. En enero del año 2000 Venter reclamó que él había hecho 90% de la secuencia del genoma humano, mientras que en marzo el proyecto público rebasó la marca de una base de dos billones. Al final los dos esfuerzos iban a la par y se anunciaron conjuntamente en la Casa Blanca en Washington el 26 de junio de 2000. Ambos tenían "un borrador de trabajo" del genoma humano, el consorcio público se asombró de la versión de Celera, la cual tenía más bases y era de una calidad similar a la de ellos. Parecía que los dos equipos habían hecho las paces e inclusive platicaron de hacer una publicación simultánea en algún diario. Sin embargo, a pesar de que el anuncio conjunto fue amigable, todavía había muchos enfrentamientos entre los dos grupos. El Proyecto del genoma humano insistía que Celera no hubiera podido poner los millones de fragmentos en el orden correcto tan rápido sin los mapas que ellos hicieron para servirles de andamios. Celera negó esto argumentando que su versión podía dar más información sobre el significado de cada parte de la secuencia. El gran pleito realmente era sobre el acceso a la información.

derechos privados y bienes públicos

Uno de los mejores aspectos de la investigación científica es que en teoría es totalmente transparente. Cuando los científicos publican un documento, siguen un código no escrito que insiste en que den toda la información necesaria para que otro pueda repetir su trabajo y todos los resultados que pueda necesitar para verificar sus conclusiones. Los laboratorios de investigación, las universidades y las preocupaciones comerciales pueden llegar a desarrollar y patentar las aplicaciones derivadas de esa información, pero la original siempre está al alcance de otros académicos. En la biología molecular esto ha significado que los científicos compartan sus investigaciones, sus bibliotecas de ADN y la información de secuencias que han acumulado.

Venter se opuso a esa tendencia en cuanto desarrolló los indicadores de secuencia expresada, que son copias de fragmentos cortos de genes genuinos, más que ser regiones que no se codifican. Cuando empezó a trabajar los indicadores de secuencia expresada, el laboratorio de Venter patentó cientos de secuencias a la semana. Aunque nadie podía darse cuenta con las secuencias de los indicadores de secuencia expresada de las funciones del gen producido, parecía una buena idea patentar la mayor cantidad posible. Así, cuando uno fuera probado y fuera esencial en, por ejemplo, una nueva medicina contra la obesidad, la patente original podía ser lucrativa. La mayoría de los científicos respondieron con indignación y eventualmente los laboratorios dejaron de patentar los marcajes de secuencia expresada. Este acontecimiento dio aviso de la manera en que Venter estaba abordando la información de las secuencias.

El Instituto de investigación genómica es una corporación no rentable, pero Celera y Ciencias del genoma humano tienen inversionistas que esperan tener ganancias monetarias. Las secuencias son las cualidades importantes del trabajo de esas compañías. Si regalaban esa información ¿qué les quedaba? Venter planteó desde el principio que otorgaría a todo el mundo libre acceso a la información de las secuencias. Durante meses, los científicos y los editores

alto riesgo
Para poder leer el genoma humano se necesitan computadoras caras y máquinas de secuencias. Este laboratorio, en el Wellcome Trust del instituto Sanger en Inglaterra, funciona con recursos donados por instituciones de beneficencia, pero hay compañías privadas que necesitan recuperar su inversión y lo hacen buscando maneras de comercializar sus secuencias.

de los diarios discutían lo que era exactamente el "libre acceso" implicado. Al final no se pusieron de acuerdo y los dos grupos publicaron sus secuencias en la misma semana pero en diarios diferentes.

La secuencia resultado de la inversión de fondos públicos está disponible gratuitamente, sin ninguna restricción. La información de Celera está disponible en el sitio web de la compañía, en donde cualquier investigador puede leer la secuencia. Trabajadores sin fines lucrativos pueden buscar e investigar la base de datos y cargar en su computadora hasta una megabase de secuencias a la semana si están de acuerdo en no comercializar o distribuir la información. Los científicos de la industria pueden usar la información gratuitamente para verificar la secuencia de Celera, pero si la quieren usar con fines comerciales, tienen que negociar un acuerdo con ella. Si quieren obtener actualizaciones de las secuencias publicadas por Celera deben pagar una cuota.

accesando la secuencia

La secuencia en borrador del genoma humano está almacenada electrónicamente en varias bases de datos, a las que se puede tener accesarse gratuitamente usando Internet. Las bases de datos guardan además de las secuencias otras categorías de información útil, algunas de las cuales pueden verse en éste cuadro tomado de la base de datos llamada Ensembl.

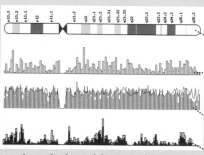

······ mapa físico de las regiones de cromosomas numerados

····· números de los polimorfismos de nucleótido único (bases de una sola diferencia entre las secuencias)

···· índice de repetición en la secuencia

···· número de genes conocidos

base de datos del genoma humano

el genoma humano

Las dos versiones de la secuencia del genoma humano representan fotos de la información como estaba en octubre de 2000. La secuencia pública es de 2.7 billones de pares base de largo. Los cromosomas 21 y 22 (son los más pequeños aparte del cromosoma Y) están terminados. La secuencia de Celera contiene 2.65 billones de pares base de ADN conectado además de fragmentos más pequeños que dan un total de 2.9 billones de pares base. Ninguno está acabado al nivel del cromosoma público 21. Las dos secuencias tienen alrededor de 100 mil espacios. Estos espacios incluyen más notoriamente a los centrómeros, los cuales han desafiado hasta ahora todos los intentos que se han realizado para secuenciarlos completamente porque las etapas esenciales de clonación en el proceso de la secuencia han sido difíciles, si no es que casi imposible.

   ¿Cuál secuencia de las dos es mejor? Casi todos los que saben lo suficiente sobre genomas y secuencias como para poder comparar estas dos series están asociados con un grupo o con el otro. Sin embargo, los diarios *Nature* y *Science* que publicaron las secuencias públicas y las privadas respectivamente, encontraron investigadores que estaban dispuestos a hacer la comparación. En general, las dos secuencias coinciden entre sí y también coinciden con uno de los pocos mapas de los indicadores genéticos que no fueron usados para construir las secuencias.

información nueva

La sorpresa más grande fue descubrir la cantidad tan pequeña de genes que hay. Los investigadores habían estimado, basándose en el número de proteínas humanas que conocían, que podría haber más de 100 mil genes.

▶ recapitulación

La molécula del ADN está empaquetada en estructuras llamadas **cromosomas***. Una típica célula humana contiene 22 pares de cromosomas ordinarios más los cromosomas X e Y (las mujeres tienen dos cromosomas X y los hombres tienen un cromosoma X y uno Y). En las etapas tempranas de la división celular, cada cromosoma se duplica. Las dos copias se unen en una región llamada el centrómero, que controla la manera en que los cromosomas se forman en pares y se dividen.*

En realidad hay 32,000. Esta cifra es más de la mitad del número de genes en un gusano. La cifra de 32,000 genes se basa en predicción; conociendo la secuencia y el código genético que traduce las bases a aminoácidos, los programas de computación se usan para calcular cuáles son los pequeños fragmentos de la secuencia que representan a los genes. Si los sistemas de la computadora pierden o dejan pasar algunos genes, la cantidad final puede ser mucho más alta.

Sin embargo el estimado menor de lo esperado del número de genes está forzando a los científicos a que se fijen en la manera en que las proteínas están formadas de regiones diferentes, llamadas dominios. Actualmente, ya no parece que un gen necesariamente codifique para una sola proteína. Un solo gen puede codificar a varias proteínas si los dominios (o campos) de la proteína están ensamblados de manera diferente, y una conclusión de la secuencia es el hecho de que en cada gen humano promedio se pueden deletrear tres proteínas diferentes.

En los gusanos y en las moscas, cada gen codifica para menos proteínas. No queda muy clara la manera en que esto sucede, pero parece ser que tiene algo que ver con la manera en que los mARN mensajeros están acomodados cuando el ADN es copiado para hacer proteínas. Un gen consiste en extensiones que codifican proteínas, llamadas exones, que son interrumpidas por extensiones que no codifican llamadas intrones. La manera en que los exones y los intrones se montan juntos para hacer un mARN puede ser la clave de la capacidad de un gen para codificar más de una proteína.

Las secuencias también revelan que los cromosomas difieren en el número de genes que cargan. El cromosoma 19 tiene 1,400 genes en total, lo que es más de 23 por cada millón de bases. En contraste, el cromosoma 13 tiene menos

el genoma nemátodo

El gusano Caenorhabdtis elegans fue el primer organismo multicelular al cual se le hizo la secuencia de su genoma. El cuerpo de un gusano adulto consiste en 959 células. La localización precisa de cada una de estas células está codificada en el genoma del animal, el cual consiste en 18 mil genes.

genes con sólo 5 por cada millón de bases. La secuencia también reveló una variación en la densidad de los polimorfismos de nucleótido único. Estos son lugares en donde los individuos difieren en una sola letra del código. En algunas regiones, la densidad es mayor de lo que se esperaba, y en otras es más baja. Nadie sabe por qué es esto. La recombinación (es el intercambio de ADN entre los miembros de un cromosoma par durante la meiosis) es poco frecuente en el cromosoma 13, el cual puede o no puede tener relación con la baja densidad de genes. Sin embargo, el cromosoma 12 (en las mujeres) y el 16 (en los hombres) son lugares de mucha recombinación.

> **" El Proyecto del genoma humano y la ensambladura del genoma de Celera son similares en tamaño, contienen números comparables de secuencias únicas... y exhiben estadísticas similares. "**
> George Church, científico en genética, 2001

El ADN de desperdicio está dando sorpresas también. Los científicos de Celera estiman que 40 a 48% de la secuencia consiste de secuencias repetidas, lo que es un tipo de desperdicio en el cual un patrón de bases se repite una y otra vez. Casi 10% de la secuencia de Celera consiste de un solo tipo de repetición, es una secuencia llamada Alu y esta agrupada en áreas ricas en genes, tal vez sí desempeña un papel importante que no han descubierto todavía.

Uno de los grandes misterios fue descubierto por los organismos públicos de investigación y es que el genoma humano comparte más de 200 genes con las bacterias, pero no lo hace con los gusanos, las moscas y los hongos. Algunos investigadores piensan que un ancestro de los vertebrados tomó prestadas algunas bacterias y sus genes en la misma forma en que se cree que las bacterias copian genes resistentes a los antibióticos de otras bacterias. De la misma manera pudo ser que las bacterias copiaran los genes vertebrados. En éste momento no sabemos en qué dirección se dio la transferencia.

opiniones de todos lados

Al mismo tiempo que se producían las secuencias como parte del Proyecto del genoma humano, los científicos también estaban aprendiendo más sobre los genomas de otros organismos. Cada secuencia que se publica refuerza dos mensajes muy claros. Cada genoma carga sus propias sorpresas y está relacionado con otros genomas.

Las sorpresas proveen a los biólogos moleculares con introspecciones en todos los aspectos relacionados con el funcionamiento de la vida. Las relaciones les proveen con las herramientas para seguir buscando sorpresas.

La mayoría de los genes encontrados en un organismo en particular tienen sus contrapartes en otros organismos. Para los genes que están involucrados en los procesos fundamentales de la vida, como son los procesos que hacen que la energía esté disponible para que las células la usen, los genes casi son idénticos en cada criatura que se estudia. Las criaturas que han evolucionado de manera separada durante cientos de millones de años, como por ejemplo la mosca y el humano, comparten genes que son reconocidos como iguales. Ciertamente, de las 1278 familias diferentes de proteínas relacionadas, sólo 94 son únicas en los vertebrados (es el grupo de animales con huesos en la espalda e incluye a los humanos). Explicado de otra manera, más de 90% de las familias de las proteínas habían evolucionado antes que los primeros vertebrados, hace más de 500 millones de años.

genes homoéticos

El desarrollo de las partes corporales de un animal es controlado por los genes homoéticos. Estos genes y sus partes correspondientes se muestran aquí en color; otros genes se muestran en gris. Los genes homoéticos y las partes del cuerpo que controlan están acomodados en el mismo orden. Por ejemplo, en la mosca, los genes que controlan el desarrollo de la cabeza están seguidos por los genes del tórax y luego por los del abdomen. Un patrón similar puede ser observado en otros animales como en el ratón, esto nos sugiere que los genes homoéticos tienen un origen común.

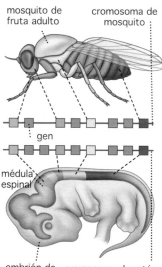

mosquito de fruta adulto — cromosoma de mosquito — gen — médula espinal — embrión de ratón — cromosoma de ratón

Existen genes llamados homoéticos que controlan el patrón corporal de la mosca y que especifican si una apéndice será una antena si está en la cabeza, o si será una pata si está en uno de los segmentos del cuerpo de la

pierna producida en lugar de antena

mosca. Cada uno de estos genes contiene una secuencia idéntica de 180 letras llamada homocaja. Si fuera el mismo en cada gen, no podría decir nada sobre si crecerá una antena o una pata. El autor británico Matt Ridley dijo al respecto que "todos los aparatos eléctricos tienen clavijas, pero no puedes diferenciar un tostador de una lámpara si sólo ves la clavija". Parece ser que la homocaja codifica parte de la proteína que le permite a la proteína engancharse al ADN en otro lugar. La proteína se engancha a un objetivo en la secuencia del ADN e impide que sea copiada. Proteínas como esta prenden o apagan los genes.

Actuando por un presentimiento, otros científicos usaron la homocaja de la mosca para buscar secuencias similares en el genoma de la rana. Para sorpresa de ellos, los genes homoéticos salieron en la rana y en el ratón y en el humano. En niveles muy básicos todas las criaturas son parecidas. Prácticamente todos los documentos científicos sobre genes usan estas similitudes para encontrar conexiones. Por ejemplo, la enfermedad conocida como narcolepsia aflige a uno de cada 2 mil adultos. Los que la padecen experimentan varios problemas incluyendo la tendencia a quedarse dormidos durante el día. En los humanos la enfermedad no se hereda de manera sencilla, pero en los perros hay un gen recesivo que ocasiona la narcolepsia. Los científicos de la universidad de Stanford en Estados Unidos encontraron el gen en los perros; éste gen codificaba para un receptor, que

instrucciones equivocadas
Cuando un gen homoético sufre una mutación, los resultados pueden ser raros. Por ejemplo, si el gen que se encarga de controlar el desarrollo de la antena de la mosca sufre una mutación, la mosca podrá tener patas en el lugar donde se supone que van las antenas.

el perro cansado
La narcolepsia afecta a varios animales. Los científicos han identificado un gen recesivo que causa esta condición en los perros.

es una especie de antena que sobresale de la célula y le permite recibir señales de otras células, sin embargo, no sabían cuál era la molécula que mandaba la señal. Otros científicos en Texas descubrieron que la ausencia de una molécula de señalización en particular en los ratones, los hacía narcolépticos. Con la secuencia receptora de los perros, y la señal de los ratones, los investigadores empezaron a buscar en el genoma humano y encontraron que la gente que padece la narcolepsia tiene el gen receptor correcto, pero por alguna razón, que todavía no conocen, no hace la señal. Este tipo de estudio de especies cruzadas y la información que revela, le está permitiendo a las compañías farmacéuticas encontrar mejores medicinas para tratar padecimientos que hasta ahora han sido difíciles de controlar.

los toques finales
La secuencia del genoma humano todavía contiene errores y espacios. Completar el Proyecto del genoma humano va a ser una tarea larga y difícil porque las partes del genoma que siguen sin poder leerse son las más difíciles de la secuencia.

surgimiento de la bio informática

A pesar de que los trabajos para acabar la secuencia continúan, un esfuerzo sustancial también se está llevando a cabo para encontrar el significado de la información. Así como las secuencias dependían de los avances tecnológicos y del desarrollo de las máquinas automáticas de secuencias que pudieran hacer en cuestión de horas lo que una persona hacía en años, los nuevos avances también requieren de computadoras y de un nuevo tipo de profesionistas llamados técnicos en bio informática.

Una pieza de una secuencia sola no te dice casi nada. ¿Codificará para un gen? Si lo hace, ¿qué proteína hará? Estas son preguntas fáciles, pero ahora hay tanta información que resulta casi imposible contestarlas sin computadoras con sistemas sofisticados. El trabajo de los técnicos en bio informática es diseñar éstos sistemas y equipos y hacerlos funcionar.

Cuando un grupo de investigadores que trabaja en el proyecto público termina una pieza de la secuencia, tiene que depositar los detalles en una de las pocas bases de datos. Los resultados generalmente se comparten entre las bases de datos, así que cada una de ellas tiene la secuencia de información a su alcance. Cada base de datos provee herramientas del sistema para que los investigadores puedan interrogarla, cada herramienta se especializa para contestar preguntas diferentes. Ahora, lo importante es facilitar a los investigadores la comprensión de toda la información y ayudarlos a detectar patrones en la información. Los 3 millones de bases de datos del genoma humano son sólo una parte del volumen total de información. Ya hay genomas de todos los otros organismos que han sido secuenciados completamente, así como también pequeños fragmentos de los genomas de cientos de plantas, animales y microorganismos que han interesado particularmente a ciertos investigadores. Cada pedazo de información que es añadido hace más valioso al resto de la información, y las herramientas de computación que les permiten a los científicos encontrarle el sentido a las tiras infinitas de As, Ts, Cs, y Gs son las más valiosas de todas.

" Cada nueva rueda de prensa en la que se anuncia que se ha hecho la secuencia del genoma humano agota la moral de aquellos que tienen que ir a trabajar a hacer lo que leyeron en el periódico que ya estaba hecho. "

Maynard V. Olson, científico en genética, 2001

ahora, ¿qué sigue?

El negocio de "terminar" el genoma humano va a continuar, pero únicamente en el proyecto público. Esto involucra tareas como llenar los espacios y repetir las partes del proceso de las secuencias para eliminar los errores. Se requerirá de mucha dedicación para seguir adelante. Después de todo, el trabajo glamoroso que es encontrar las funciones de todos los genes y cómo aprovecharlas estará en otro lugar. Algunas partes de la secuencia nunca podrán ser acabadas. Regiones como los centrómeros pueden desafiar todos los intentos que se realicen para poder leerlos con detalle. Sin embargo, el primer borrador nos permite vislumbrar el enorme potencial que se encuentra en la información.

peligros y promesas

La secuencia del genoma humano es moralmente neutral y éticamente no se puede destituir. En éste sentido no es como un libro. Los libros pueden ser inmorales y no éticos debido a que las palabras llevan un significado que puede influenciar la manera en que la gente piensa y se comporta. La secuencia no tiene ningún significado, lo que importa es la manera en que la gente la usa. Puede traer enormes beneficios, enormes problemas o ambos. La mayoría de las cosas que preocupan a la gente común y corriente sobre el genoma humano son la clonación, los bebés hechos por diseño y la discriminación genética, que no requieren de una secuencia y de todas formas ya sucedían anteriormente. Provocaron interrogantes antes de que la secuencia fuera publicada, las cuales no han podido ser contestadas por la secuencia. Sin embargo, el hecho de tener un borrador de la secuencia y la atención que ha atraído del mundo entero, ha vuelto a poner esas preguntas en el centro de la controversia. Ya no sería inteligente ignorarlas y esperar que desaparezcan.

" Estamos creando un mundo en el cual va a ser imperativo para todas las personas conocer la literatura científica suficiente para entender las nuevas riquezas del conocimiento, para aplicarlas sabiamente. "
David Baltimore, biólogo, 2001

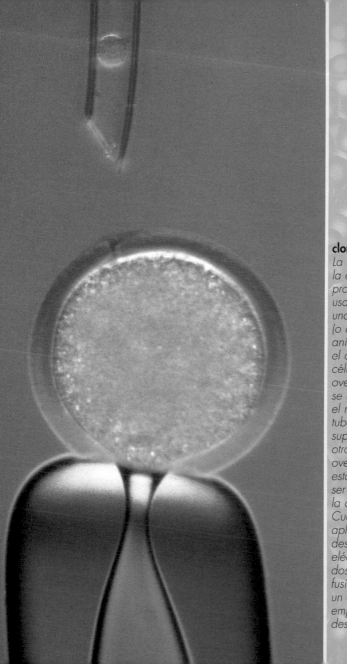

clonación
La foto muestra la etapa del proceso que se usa para producir una copia exacta (o clon) de un animal adulto. En el centro está una célula huevo de oveja a la cual se le ha quitado el núcleo. El tubo de la parte superior detiene otra célula de oveja, la cual está a punto de ser insertada en la célula huevo. Cuando se aplique una descarga eléctrica, las dos células se fusionarán y un embrión empezará a desarrollarse.

clones copia carbón

Dolly es probablemente la oveja más famosa del mundo debido a que es un clon. Cuando la gente habla de un clon pueden referirse a muchas cosas, pero esencialmente un clon es una copia exacta. Una pieza de ADN clonada es una copia de otra pieza de ADN. Un rosal o una papa también es un clon (aunque nunca los llamamos así). En 1997, los científicos que trabajaban en el instituto Roslin en Escocia anunciaron que habían creado a Dolly usando una técnica conocida como transferencia somática nuclear de células (*ver recuadro abajo*). Esto es a lo que la gente se refiere cuando hablan de hacer un clon. La otra forma de hacer éste tipo de clon es conocida como separación de

clonación animal

La técnica usada para clonar a Dolly requirió de dos donadores. Un donador (la madre de Dolly) proporcionó el núcleo de una célula completa con su ADN. Otro donó un óvulo en la cual el núcleo fue destruido. Luego el núcleo de Dolly fue insertado dentro del óvulo donador, el cual fue implantado en el útero de otra oveja. Esta oveja parió a Dolly. En la mayoría de las células, sólo los genes que son requeridos por esa célula se "encienden". Pero al hacer que le dé hambre a la célula de la cual el núcleo obtuvo sus nutrientes, se provoca que su desarrollo se detenga cuando todos sus genes todavía están activos.

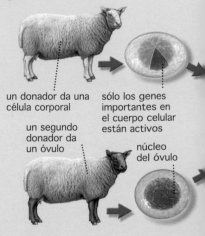

un donador da una célula corporal

un segundo donador da un óvulo

sólo los genes importantes en el cuerpo celular están activos

núcleo del óvulo

blastómeros. En una etapa muy temprana del desarrollo de un animal, cuando es todavía una bola de 8 o 16 células, es posible separar cada una de esas células y hacerlas que se desarrollen en individuos genéticamente idénticos. Ciertamente, así es como los gemelos idénticos se crean en la naturaleza. La separación de blastómeros pasa todo el tiempo, especialmente en la procreación de animales.

Esto ya no causa mucho interés ni grandes debates. Lo importante sobre Dolly no es que sea un clon; es que fue derivada de una célula adulta. Una célula de óvulo fertilizada tiene todos los genes necesarios para construir todos los diferentes tipos de células que un cuerpo completo contiene, pero conforme las células se multiplican se diferencian cada vez más. Un embrión puede hacer cualquier tipo de célula. Pero cuando una célula de la piel diferenciada se divide, sólo puede producir más células de la piel. Todavía tiene todos los genes, pero todos, menos los necesarios para ser piel se "apagan".

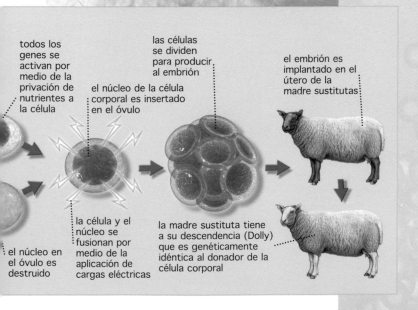

todos los genes se activan por medio de la privación de nutrientes a la célula

el núcleo de la célula corporal es insertado en el óvulo

las células se dividen para producir al embrión

el embrión es implantado en el útero de la madre sustitutas

el núcleo en el óvulo es destruido

la célula y el núcleo se fusionan por medio de la aplicación de cargas eléctricas

la madre sustituta tiene a su descendencia (Dolly) que es genéticamente idéntica al donador de la célula corporal

Dolly es la prueba de que es posible tomar una célula de un animal adulto y prenderle todos los genes de nuevo.

los clones humanos

La clonación le permitiría a parejas totalmente estériles reproducir a uno o a los dos padres. Padres desconsolados podrían resucitar a un hijo moribundo. Las parejas homosexuales podrían crear descendencia. Un fanático del deporte podría criar a su héroe otra vez. Podemos pensar en otras posibilidades. Sin lugar a dudas algunos obtendrían grandes satisfacciones, pero tienen que estar preparados para decepciones. Para crear a Dolly, los científicos de Roslin transfirieron 277 núcleos, lo que les dio 29 embriones que se veían normales, de los cuales resultó un nacimiento de un producto vivo. Otros clonadores de animales han tenido más éxito, pero la proporción de nacimientos e implantes sigue siendo de uno en 20. Los animales clonados parecen tener todo tipo de problemas que no son aparentes en el momento del nacimiento. Los ratones clonados se vuelven muy obesos y las terneras clonadas tienen dificultades para respirar y sus hígados no funcionan bien. Dolly tuvo más suerte de la que esperábamos.

Algunos de estos problemas pueden ser resueltos con el tiempo, pero, ¿será correcto tratar de clonar humanos antes de que estos problemas se resuelvan? Incluso cuando se están clonando animales en una manera segura y siguiendo los pasos rutinarios, ¿será correcto hacer un ser humano con una determinada carga genética? Hay otras maneras de enfrentarse a no tener hijos y a pérdidas, las cuales lejos de agredir la dignidad humana, la elevan, la realzan.

" ¿Qué sucederá cuando el clon adolescente de una madre se vuelva la imagen de la mujer de la cual el padre se enamoró? ¿En caso de un divorcio, la mamá seguirá amando al clon del papá? ¿Aunque ya no soporte ver al papá? "
Leon R. Kass, bioético, 2001

copiar gente
Existe un temor que surgió con la nueva tecnología de la clonación y es que se pueda usar para hacer múltiples copias de gente. Con la tecnología actual, para hacer cada clon se necesitaría de madres sustitutas. Y conforme los clones crecieran, se volverían muy diferentes; cada uno estaría formado por el entorno que lo rodea.

tratamiento de enfermedades

Una de las cosas que más entusiasma a la gente sobre la información genética es su potencial médico. Todos queremos vivir una vida larga, con salud; y comprendiendo la manera en que la información contribuye en las enfermedades podríamos cumplir ese deseo.

En éste momento hay muchas esperanzas puestas en las células madre. Durante el desarrollo, conforme las células se van dedicando a cumplir con funciones específicas, alcanzan una etapa llamada célula madre. Estas células son capaces de transformarse en células más especializadas, pero no todas lo hacen. El embrión contiene células madre poderosas, capaces de convertirse en muchos tipos de células y éstas pueden ser útiles en el tratamiento de algunas enfermedades.

El mal de Parkinson, por ejemplo, es causado por una carencia de ciertas células en el cerebro, mientras que la diabetes se debe a una carencia de ciertas células pancreáticas especializadas. La cura de estas enfermedades puede ser posible mediante el transplante especializado de células madre. En éste momento hay dos acercamientos a la investigación de las células madre. Algunos grupos están tratando de ver si es posible volver a reiniciar los interruptores en una célula más desarrollada para volverla otra vez una célula madre. Otros están trabajando con células madre cosechadas de embriones.

El dilema ético parece que está centrado en la fuente de las células madre. Algunas personas argumentan que todas las investigaciones que se hacen de las células madre son inaceptables porque sólo se pueden obtener de embriones, los cuales son seres vivos. Sin embargo las clínicas de fertilidad hacen por rutina más embriones de

células madre

Estas células madre provienen de la médula de un humano. Tienen el potencial para convertirse en glóbulos rojos o en diversos tipos de glóbulos blancos. Estos dos tipos de células se degradan rápidamente y son reemplazadas continuamente.

los que vuelven a introducir al útero de la mujer buscando la fertilización *in vitro*. Si estos embriones extra pueden proveer células madre que van a ayudar a gente con enfermedades, seguramente esto es más útil que destruirlos. Y si no son destruidos ni usados, ¿cuál es el objetivo de tenerlos guardados para siempre? Limitar la investigación de las células madre que ya existen parece simplemente eludir la toma de decisiones.

examinar para sobrevivir

Ni la clonación, ni la investigación de las células madre requieren de la secuencia genética completa. Tampoco la necesitan los escrutinios genéticos, aunque la secuencia sí los puede hacer más útiles y efectivos. Los escrutinios genéticos se hacen de muchas maneras, pero esencialmente cada uno de ellos revela si una persona tiene una pieza en particular de un código genético. El problema radica en lo que hay que hacer con esa información.

Algunas enfermedades son causadas por la mutación de un solo gen y son heredadas de manera muy sencilla. Si ese es el caso, puede ser muy útil (especialmente para parejas que planean tener hijos) saber si tienen ese gen. La fibrosis quística, por ejemplo, y la anemia de célula falciforme, son dañinas sólo cuando la persona tiene dos copias de la mutación. Si en una pareja cada uno tiene una copia de la mutación, lo cual no lo sabrían sin haberse hecho un examen genético, todos sus hijos tendrían una probabilidad en cuatro de tener la enfermedad. Ocurre con frecuencia que la primera vez que una pareja sabe que los dos son

portadores es justo el momento en que nace uno de sus hijos con esa enfermedad. En tal caso, examinar el embrión en otro embarazo les puede informar que necesitan tomar una decisión que les acomode a ellos.

examinar para escoger el sexo

A través de la historia, algunos padres han querido escoger el sexo de sus hijos. En los mamíferos, el genero es controlado por un gen en el cromosoma Y llamado el gen SRY. Tener el gen SRY hace a un individuo masculino, no tenerlo lo hace femenino. El descubrimiento de éste gen, junto con las técnicas para la amplificación del ADN, hace posible determinar el sexo eventual de un embrión una vez que se ha dividido varias veces. Fetos en etapas posteriores pueden sexuarse en la misma manera. También es posible escoger el esperma en esos con el cromosoma X (el cual hará niñas) y aquellos con el cromosoma

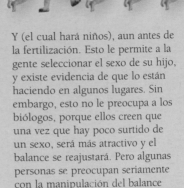

Y (el cual hará niños), aun antes de la fertilización. Esto le permite a la gente seleccionar el sexo de su hijo, y existe evidencia de que lo están haciendo en algunos lugares. Sin embargo, esto no le preocupa a los biólogos, porque ellos creen que una vez que hay poco surtido de un sexo, será más atractivo y el balance se reajustará. Pero algunas personas se preocupan seriamente con la manipulación del balance del género.

Algunos grupos van más lejos. Los judíos Ashkenzai tienden a acarrear una mutación que causa una enfermedad debilitante y fatal llamada Tay-Sachs. Una organización en Estados Unidos organiza pruebas genéticas para los niños Ashkenzai de nivel escolar para buscar la enfermedad Tay-Sachs y fibrosis quística. Cuando una pareja piensa en casarse llaman a la organización, la cual empareja los números anónimos que le dieron a cada cual cuando se hicieron pruebas. Si los dos son portadores, la organización aconseja que no se casen. Como resultado, estas enfermedades genéticas casi han desaparecido de la población Ashkenzai en Estados Unidos. Las parejas que no se casan en matrimonios arreglados pueden ser examinados, pero si se enteran de que son portadores enfrentan decisiones difíciles, tal vez decidan quedarse sin hijos, y si no, pueden concebir y correr el riesgo de que su hijo tenga la enfermedad o examinar al embrión y selectivamente abortar el embarazo.

Desgraciadamente, las enfermedades que se manejan con sencillez son muy pocas. La mayoría evocan preguntas muy complicadas. Para muchos, examinar significa diagnosticar y no hay tratamiento disponible. La enfermedad corea de Huntington, la cual aflige a gente de edad media (que ya tuvieron hijos) es una enfermedad que no tiene cura. Existe una prueba genética para diagnosticarla pero el resultado es una sentencia de muerte o un perdón. Algunas personas sí se someten a dicha prueba, la cual tiene que ser manejada con mucha sensibilidad y perspicacia y no todos los que la padecen experimentan depresión o el suicidio que les pronosticaron.

La mayoría de las pruebas genéticas son menos claras. Existe un cáncer de mama que está relacionado con dos genes diferentes, pero no todas las mujeres con la mutación desarrollan la enfermedad. Obviamente hay factores en el ambiente de los cuales sabemos muy poco. Aún así, sabiendo que tiene la predisposición genética, la mujer puede tomar decisiones que puedan ayudarle a disminuir el riesgo de que desarrolle la enfermedad. La remoción preventiva de los pechos no es una opción que se ofrece, aunque hay mujeres que lo han hecho. Sin embargo, la detección de otro gen, vinculado con el cáncer de la tiroides, puede orillar a la extirpación de la tiroides, y las hormonas que produce son fácilmente reemplazadas con pastillas.

Los escrutinios genéticos pueden ayudar directamente a una persona enferma. Puede ser que un niño tenga una enfermedad que sea curable por medio de un trasplante, pero que no haya un donador disponible. Sus padres a lo mejor quieren tener otro hijo si tienen suerte, ese nuevo bebé puede tener los genes correctos para poder ayudar a su hermano. Pero, ¿por qué no asegurarse? ¿Por qué no fertilizar varios óvulos fuera del cuerpo de la madre, probar cuáles tienen la constitución genética correcta y luego implantar esos en la madre? Esto ya ha sucedido más de una vez.

el *apartheid* genético

Actualmente el peligro más grande es que nuestra habilidad para examinar genes evoluciona mucho más rápido que

---

la enfermedad corea de Huntington's

Esta enfermedad causó la muerte del cantante Woody Guthrie y está asociada con una mutación genética. Se puede hacer un tamiz genético para identificar la mutación. Este examen puede indicar la edad en que los síntomas de la enfermedad se empezarán a desarrollar. Sin embargo, por ahora no hay cura para ésta enfermedad.

enfermedades protectoras

Algunas mutaciones recesivas son comunes en grupos particulares de personas. El tener dos genes mutados causa la enfermedad, la cual casi siempre es fatal, pero la mutación sobrevive en los que la acarrean porque los protege de otras enfermedades. La anemia de célula falciforme es muy común en la gente de raza negra de África, pero los defiende contra la malaria. Las personas que tienen la mutación genética que ocasiona la fibrosis quística están protegidas contra la tifoidea. La enfermedad de Tay-Sachs protege a los portadores contra la tuberculosis. En donde esas enfermedades son comunes, ser el portador puede ser algo bueno a pesar de tener que perder a uno de cuatro hijos. Sin embargo, cuando hay otras maneras de tratar la enfermedad, la mutación ya no es necesaria. Eventualmente la selección natural se deshará de ella.

nuestra habilidad para hacer algo con lo que se va descubriendo y esto se ha acentuado con la decodificación del genoma. En el transcurso de la secuencia del genoma, miles de indicadores han sido localizados, muchos de ellos son polimorfismos de nucleótido único, los cuales son fáciles de encontrar. Esto facilita la búsqueda de los vínculos más tenues. Sin embargo, en la ausencia de una terapia o de buenos consejos, ¿de qué te sirve saber que tienes mucha probabilidad de desarrollar cáncer en los intestinos, por ejemplo?

Una respuesta es que puedes usar los recursos médicos de una manera más eficiente. Muchos tipos de cáncer pueden ser tratados efectivamente si son detectados en una etapa temprana. Una persona con antecedentes familiares de cáncer en las entrañas no tiene otra opción más que checarse muy seguido. Al saber que no tiene éste gen, puede tomar una decisión racional y no revisarse con tanta frecuencia. Por supuesto que sí puede desarrollar ese cáncer o desarrollarlo en algún otro órgano; las mutaciones posiblemente son el resultado de rayos cósmicos o de químicos en el ambiente y pueden causar cáncer aunque no exista la predisposición genética.

¿será mejor la ignorancia?

En algunos casos los tamices genéticos le dan a la gente información sobre su predisposición a cierta enfermedad y esto es de gran utilidad. Sin embargo, en otras situaciones, especialmente en donde las opciones de tratamientos son limitadas, el tamiz puede enfrentar a las personas con decisiones difíciles de tomar.

¿huntington?

¿cáncer?

¿parkinson?

¿Qué pasa si te haces exámenes y como resultado la compañía de seguros aumenta la prima a pagar o simplemente se niega a cubrirte todo? ¿Qué pasa si te niegan un trabajo? Esto ha causado gran consternación y se han hecho intentos para legislar y prevenir a las compañías que usan la información genética y la pasan a otros. En el trabajo es difícil justificar la discriminación genética.

> " Así como el racismo, existen otras formas de prejuicios, la discriminación genética devalúa la diversidad, desaprovecha el potencial e ignora los logros. "
>
> Departamento de salud y de servicios humanos de Estados Unidos, 1997

En Estados Unidos ya hubo casos en la corte en los que las compañías se negaron a contratar gente que tuviera una copia del gen de la célula falciforme. Pero en el caso de las compañías de seguros, las cosas se ponen más turbias. Los aseguradores siempre se han interesado en cualquier cosa que afecte nuestras oportunidades de supervivencia. Por eso, ofrecen primas bajas a la gente que no fuma, por ejemplo. En los papeles de aplicación, comúnmente preguntan sobre las enfermedades que tus padres han padecido; si los dos murieron jóvenes de enfermedades del corazón, seguramente tendrás que pagar una prima más alta en tu seguro de vida. Cuando se hace una aplicación para obtener un seguro de vida, es difícil saber si los exámenes genéticos pudieran ser malos, ya que son más exactos que la historia personal y a lo mejor los resultados ayudarían a algunas personas a pagar primas más bajas.

¿se debe todo a los genes?

Los humanos son mucho más que sus genes, pero de acuerdo con la publicación del borrador de la secuencia del genoma humano, ahora contamos con más información sobre la manera en que nos parecemos y sobre lo que nos diferencia de otras especies.

¿hacia dónde vamos?

El uso de la información de secuencias para tratar enfermedades está avanzando rápidamente. Las compañías farmacéuticas examinan la secuencia buscando mensajes especiales que puedan imitar. Si una señal falta, la imitación puede sustituirla; si hay mucho, la imitación puede apagar el interruptor del gen o bloquear el receptor. La secuencia también ayuda a diagnosticar. Es posible poner micro manchas de miles de piezas de ADN en un vidrio. Si esto es lavado con una preparación de las células del ADN del paciente, los genes activos se pegarán a las micro manchas, dándole una especie de huella digital de los genes en ese tipo de célula. Esto ha permitido a los médicos separar un tipo de leucemia en dos clases, una de las cuales responde bien a los tratamientos. Con los nuevos conocimientos que se han adquirido gracias a la secuencia, es posible diseñar nuevos tratamientos para ayudar a aquellas personas que no tenían esperanzas.

En un libro como éste es imposible cubrir todos los posibles usos que se le pueden dar a la información genética. Las razones médicas o la "libertad" siempre serán usadas para justificar ciertos tipos de prácticas, algunas de las cuales son perfectamente razonables y otras nos hacen sentir incómodos. No se pueden hacer reglas rápidas y tajantes sobre lo que sí se debe permitir y sobre lo que hay que prohibir. Hay que recordar que algunas de las sugerencias médicas efectivamente son soluciones más rápidas para problemas que pueden ser resueltos de otras maneras.

Ya hay muchas libertades que la sociedad quisiera restringir. Se tienen que hacer finas distinciones; un público educado y políticos bien informados son la mejor garantía de que no se harán tontamente.

glosario

ADN

Ácido desoxirribonucleico. El ADN es un ácido nucleico en el cual las bases se dan en pares. La secuencia de pares base codifica la información necesaria para manufacturar proteínas y a su vez produce un organismo completo. Por esta razón, el ADN se considera como la molécula esencial de la herencia.

ADN complementario (CADN)

Es el ADN que ha sido copiado de una pieza de MARN.

ADN de desecho

Es una etiqueta presuntuosa para una extensión de ADN cuyas funciones no entienden bien los científicos. Incluye secuencias repetitivas y secuencias llamadas intrones, las cuales dividen dos secciones importantes o exones, de un gen.

ácido nucleico

Es una molécula larga hecha de bases que se alternan y de moléculas de azúcar y fosfato.

alelo

Una de las dos o más formas de un gen. En los organismos que se reproducen sexualmente, un individuo hereda un alelo de cada progenitor. Si estos dos alelos son diferentes, a los que se expresan en la descendencia se les conoce como el alelo dominante, al otro se le dice alelo recesivo.

aminoácido

Es un compuesto que contiene nitrógeno. Los aminoácidos son los bloques básicos que construyen proteínas.

amplificación

La multiplicación de una extensión en particular de ADN ya sea química (*ver reacción en cadena de polimeraza*) o biológica (*ver vector de clonación*).

base

Es un componente básico de los ácidos nucleicos. Hay dos clases: pirimidinas y purinas. El ADN contiene las pirimidinas, timina y citosina y las purinas tienen adenina y guanina. En la hélice del ADN la adenina forma pares con la citosina. La misma base se da en el ARN, excepto cuando la timina es reemplazada por el uracilo.

bio informática

Es el uso de la computadora para almacenar e interpretar información derivada de la investigación de las secuencias.

célula madre

Célula que no se ha diferenciado completamente, que puede convertirse en cualquiera de varios tipos de células.

centrómetro

Es la parte del cromosoma en donde dos miembros de un cromosoma par se unen durante la división celular.

cromosoma

Es un paquete mixto de ADN y proteína. Los cromosomas (con excepción de los sexuales) se dan en pares, uno en cada par proviene de cada uno de los progenitores. Los cromosomas sexuales son conocidos como X y Y: los mamíferos femeninos tienen dos cromosomas X, mientras que los masculinos tienen uno X y un Y.

clon

Es una copia idéntica. El ADN clonado ha sido insertado en una bacteria o virus, lo cual hace varias copias del ADN. Los organismos clonados contienen ADN idéntico. Los clones pueden ser naturales (como los gemelos idénticos) o artificiales.

clon recombinante

Es el ADN (o un organismo completo) hecho deliberadamente combinando ADN de dos organismos diferentes, a veces de dos especies diferentes.

codon

También se conoce como un "triplete" a una palabra de tres letras de la secuencia genética en donde cada letra es una de las cuatro bases. Cada codón puede representar a uno de los 20 aminoácidos encontrados en las proteínas o a una instrucción para iniciar o detener la ensambladura de una proteína.

complemento

Es una sola hebra de ADN que corresponde únicamente a otra hebra de acuerdo con las reglas de la formación de pares base.

conexión

Es la relación entre dos genes, los cuales son heredados juntos más seguido de lo que se esperaba.

contig

Es una extensión larga de una secuencia de ADN construida por medio del acomodamiento de la secuencia leída de fragmentos más pequeños de ADN.

cruza

Ver Recombinación.

dominio porteínico

Es una región de una proteína, por ejemplo, el receptor de otra proteína o un tipo de ancla que mantiene a la proteína en un lugar específico.

electroforesis en gel

Es una técnica para separar la mezcla de moléculas, como son las piezas de ADN o proteínas juntándolas en un gel cargado con energía eléctrica.

enzima de restricción

Es el intercambio de ADN entre los dos miembros de un par de cromosomas durante la meiosis.

extremo pegajoso

Es una sola hebra proyectada más allá de una pieza de ADN con dos hebras. Los extremos pegajosos que se producen al cortar el ADN con la misma enzima de restricción pueden usarse para recombinar el ADN proveniente de diferentes orígenes.

gen

Es la unidad de la herencia. Hay diferentes maneras de definir un gen con mayor precisión. En la genética clásica, un gen es un factor hereditario que controla una característica de un organismo. En términos moleculares, un gen es una secuencia de ADN que contiene el código para hacer una proteína.

genoma

Es el mensaje genético completo de un organismo.

gen homoético

Es un gen que controla el desarrollo de una unidad grande del cuerpo como son las piernas ó alas.

indicador

Es cualquier porción de ADN que puede ser seguida de una generación a otra. Un indicador puede ser un gen completo que tiene un efecto visible, o una sola letra del código que difiere entre individuos.

mapa físico

Es un mapa de las posiciones de los genes en el cual las distancias entre los genes se pueden medir en pares base. El mapa que se produce al leer la secuencia de genes es un ejemplo de un mapa físico.

mapa de conexión

Es un mapa de la posición de los genes relativos entre ellos, que se obtiene al medir qué tan seguido genes diferentes se separan unos de otros durante la recombinación.

mapa genético

Ver Mapa de conexión.

marcaje de secuencia expresada

Es el CADN hecho de MARN, y por lo tanto está hecho más bien de un gen y no de una región que no codifica.

meiosis

Es un proceso de división celular en el cual la cantidad de material genético en las células hijas es la mitad de la que contenían las células de los progenitores. Como resultado de la recombinación durante la meiosis, cada célula hija tiene un conjunto único de genes. La meiosis produce las células de óvulo y esperma que están involucradas en la reproducción sexual.

mitosis

Es un proceso de división celular que produce células hijas que tienen un conjunto idéntico de genes a las de los progenitores ó padres. La mitosis produce las células nuevas que un organismo necesita para crecer y reemplazar las células dañadas ó degradadas.

MARN

Ver ARN.

mutación

Es un cambio en el ADN. La mayoría de las mutaciones en los genes son silenciosas porque no cambian la proteína codificada por el gen.

núcleo

Es un cuerpo discreto adentro de una célula compleja. El núcleo contiene el ADN en forma de cromosomas.

polimorfismo

Es cualquier diferencia entre los genes de dos individuos. Un polimorfismo de nucleótido único es una diferencia en una base sola. No todos los polimorfismos de nucleótido único producen diferencias en la descendencia de un organismo. Otros polimorfismos producen efectos grandes y visibles, como es la diferencia entre ojos azules y cafés.

proteína

Es una molécula larga ensamblada a partir de los aminoácidos. Las proteínas son las que hacen el trabajo de las células: acarrean mensajes dentro y entre ellas y permiten que se produzcan las reacciones químicas esenciales para la vida, y forman muchos de los componentes estructurales de los seres vivos.

polimorfismo de restricción de tamaño restringido

Un polimorfismo detectado debido a que una mutación cambia el sitio de reconocimiento de una enzima de restricción. La enzima crea fragmentos de diferentes largos en el ADN de diferentes individuos.

reacción en cadena de polimeraza

Es un método químico rápido y exacto utilizado para identificar y amplificar extensiones específicas del ADN.

recombinación

Es el intercambio de ADN entre dos miembros de un par de cromosomas durante la meiosis. La recombinación revuelve el ADN del padre y de la madre para crear un individuo completamente nuevo.

repetición del tandem de número variable

Es un polimorfismo causado por un "tartamudeo" en el ADN que causa que un largo de secuencia repetida sea diferente entre individuos.

ARN

Ácido ribonucleico. El ARN se diferencia del ADN en el azúcar (ribosa en lugar de desoxirribosa) y en una de las bases (uracilo en lugar de timina). Los genes en el ADN son transcritos en ARN mensajero (mARN), lo cual deja al núcleo para que dirija la manufactura de la proteína en el citoplasma. Las moléculas pequeñas de ARN (tARN) transfieren aminoácidos a la cadena que está creciendo de proteína. Algunos virus almacenan su información genética como ARN (en lugar de ADN).

secuencia de escopeta

Es una secuencia que se crea al romper el ADN en fragmentos, leyendo cada uno y usando la computadora para acomodar los fragmentos en una sola secuencia.

separación de blastomeros

Es la separación de las células de un óvulo fertilizado al principio del desarrollo de un embrión. Cada célula puede desarrollarse en un organismo completo. Todos los organismos provenientes de un solo blastómero van a ser clones idénticos.

sitio de reconocimiento

Es una extensión de ADN que es reconocida por una proteína. La proteína puede ser un interruptor que prende y apaga a un gen ó puede romper el ADN en fragmentos.

traslación

Es un proceso en el cual el código genético de la molécula del ADN es usado para manufacturar una proteína.

tARN

Ver ARN.

trasnsferencia nuclear de células somáticas

Es una técnica de clonación que involucra mover el núcleo de una célula somática (cuerpo) a un óvulo fertilizado. El óvulo puede desarrollarse y llegar a ser un individuo que sea un clon idéntico genéticamente del donador del núcleo de la célula somática.

vector

Es un organismo (normalmente una bacteria o un virus) que se usa para acarrear y multiplicar una pieza de ADN de otro organismo.

índice

Lecturas recomendadas

Man-Made Life, Jeremy Cherfas, Pantheon Books, 1982.

The Sun, the Genome, and the Internet, Freeman J. Dyson, Oxford University Press Inc., 1999.

The Eighth Day of Creation, Horace Freeland Judson, Cold Spring Harbor Laboratory Press, 1996.

Genome, Matt Ridley, Fourth Estate, 1999

Sitios web relacionados

Secuencia del genoma Celera
www.public.celera.com/index.cfm

Secuencia del Proyecto del genoma humano
www.ncbi.nlm.nih.gov/genome/guide/human

The Genome News Network
www.gnn.tigr.org/main.html

Web de Mendel
www.netspace.org/MendelWeb/

Nature
www.nature.com/nsu/

Wellcome Trust Sanger Institute
www.yourgenome.org

....

Agradecimientos

Dorling Kindersley agradece a Don Powell y Hazel Richardson por su asesoría y apoyo editorial. El índice fue realizado por Richard Raper y Simon Field de Indexing Specialists.

Diseño de la cubierta
Nathalie Godwin

Bibliotecario de imágenes
Richard Dabb

Créditos de las ilustraciones
Corbis: Bettman 19. Hulton Archive: Frank Driggs Collection 62. King's College London: 23. National Library of Medicine: 7, 18, 34. Nobel Foundation: 33. Oxford Scientific Films: Paul Franklin 9. Science Photo Library: 10, 13, 28-29; Addenbrokes Hospital, Dept. of Clinical Cytogenetics, 40; A. Barrington Brown 23; Biophoto Associates 3l; Dr Jeremy Burgess 19; CNRI 5, 15, 18; Ken Edward 1; Eye of Science 59; Klaus Guldbrandsen 35; Jackie Lwein, Royal Free Hospital 60; Dr Gopal Murti 4-5; Alfred Pasieka 54-55; Philippe Plailly 40; Plailly, Eurelios 57; W. A. Ritchie, Roslin Institute, Eurelios 55l. David Scharf 51; Sincair Stammers 48; Andrew Syred 22, 28-29; Jean-Yves Sgro: Institute of Molecular Virology, University of Wisconsin-Madison 33. Sweden Post Stamps: 22. Corbis Stock Market: John Martin, 98,44. Stone / Getty Images: Elie Bernager 64-5. The Wellcome Institute Library, London: 41. The Wellcome Trust, Sanger Institute, Cambridge: 45; EMBL, EBI 46. The Whitworth Art Gallery, The University Of Manchester: 6bc.Cubierta: Science Photo Library: Ken Edward

Se han hecho todos los esfuerzos para encontrar a los dueños de los derechos de autor. El editor se disculpa por cualquier omisión no intencionada y estaría de acuerdo, en tal caso, de poner un reconocimiento en las ediciones futuras de este libro.

Todas las demás imágenes: Dorling Kindersley.